Alexa Young

Tome 2

*Traduit de l'anglais (États-Unis) et adapté
par Jean-Noël Chatain*

Du même auteur

Meilleures Ennemies, tome I

À paraître

Meilleures Ennemies, tome III :
Glamnesia (titre américain)

Titre original
Faketastic

© Alexa Young et Alloy Entertainment, 2009.

© Michel Lafon Publishing, 2009, pour la traduction française
7-13, boulevard Paul-Émile-Victor - Île de la Jatte
92521 Neuilly-sur-Seine Cedex

www.michel-lafon.com

*Pour mes parents,
toujours fidèles à eux-mêmes*

Les Fashion Blogueuses

TOUJOURS CHIC ET JAMAIS TOC !

Fausses notes à la soirée !

Posté par Avalon, le mardi 30 septembre
à 7 h 07 du matin

Si vous étiez à l'événement de la rentrée samedi dernier (organisé par vos blogueuses préférées), vous avez sans doute remarqué certains looks qui faisaient *peine à voir* tellement ils tombaient à côté de la plaque. Mais au cas où vous les auriez manqués (même si ça semble peu probable), voici un bref compte rendu des pires Beurk de la soirée :

1. Heather Russell. Évite de piller la garde-robe des Pussycat Dolls, merci ! Désolée, Heddy, mais tu confonds jupette et serre-tête... Car ce minuscule bandeau en similicuir brillant, c'est uniquement pour les cheveux.

2. Jenny Morgan. Rassure-nous, par pitié ! Cette peluche en guise de col, c'était bien de la fausse fourrure ? Rien à voir avec l'adorable chinchilla que tu avais amené en cours de sciences à l'école primaire, j'espère ? Quoique... ça expliquerait les marques rouges que t'as sur le cou depuis l'autre soir. On t'excuse, alors... mais pas pour la fourrure !

9

3. Tyla Walker. Le tutu, c'est too much ! J'apprécie l'effort de look, ma chérie, mais c'était une fête fa*shion*, pas une audi*shion* pour le *Lac des cygnes*.

Soyez glamour avec humour,
et bon shopping !

Halley Brandon et *Avalon Greene*

P.S. : Oui, les rumeurs sont fondées. Peu importe ce qui s'est passé entre nous à la soirée, le duo Hal-Valon est de retour avec une pêche d'enfer. YEAAAH ! ;-)

P.P.S. : Total respect à vous qui avez su dénicher le nouveau site web du blog le plus adulé du cybermag de la Seaview Middle School ! Après avoir été disqualifiées du concours pour notre virulence, on redémarre ici avec des conseils fashion plus percutants et plus... virulents que jamais !

COMMENTAIRES (59)

Youpi ! J'savais que vs seriez pas fâchées pr tjrs. Ce blog est Gnial ! (Idem pr la soirée, au fait. Vs avez aimé ma robe ??? SVP, dites OUI !)
Posté par blaguapart le 30/9 à 7 h 23.

Waouh ! C sérieux ? Moa j'pardonnerais jamais à celle ki révèle à tt le monde le nom du gars ki m'fait flasher. Halley, T vraiment trop sympa ! Kess t'attends pr mettre Avalon KO ? Allez, Halley ! Allez, Halley !
Posté par princesse_rebelle le 30/9 à 7 h 26.

OK avec toi, princesse_rebelle. Chuis pas sûre de croire que vs 2 soyez ressouD... En tt cas, c'qu'Avalon a fait est impardonnable.
Posté par primadonna le 30/9 à 7 h 29.

Ce nouvo blog Dchire 1 max ! Le seul truc + sexy, C la vidéo d'Avalon à la gym. J'me suis pas remise de voir ses dou-dounes gigoter en rythme sr la chanson D Dead Romeos. TROP FUN ! Chuis contente que t'en rigoles, Av. C trop... hmm... Gnéreux de ta part ! ;o) ;o) ;o)
Posté par look_d_enfer le 30/9 à 7 h 34.

Ben, moa Gmais bien le tutu de Tyla ! Mais OK pr le serre-tête et la boule de pwals ! (L'info du jour : les marques sr le cou de Jenny C Jordan Campbell. Ce gars est 1 vampire total. Sérieux. G eu droit o même suçon. ;-)
Posté par radio-potins le 30/9 à 7 h 46.

Blog nul, comme d'hab. Vs voulez du journalisme sérieux, lisez les vraies GAGNANTES du concours du cybermag : Margie & Olive. Cliquez sr ce lien vers leur super-blog INFO-SANTÉ.
Posté par grenouille_de_labo le 30/9 à 7 h 59.

À la vie, à la mode

*T*u ne trouves pas ça géant ? s'exclama Avalon
Greene, qui surgit derrière Halley Brandon et
lui pressa affectueusement l'épaule.

Leur petite chienne Pucci, issue d'un croisement de
golden retriever et portant le nom du styliste préféré de
leurs mères, avait suivi Avalon dans la chambre. Elle
bondit sur le fabuleux dessus-de-lit hippie chic et
commença à baver sur son nouveau jouet à mâcher : un
mini-sac couineur Chewy Vuiton.

– Et c'est que le début ! s'enthousiasma Halley, des
étoiles dans ses yeux bleu azur.

Elle pivota dans son fauteuil-œuf, en se détournant de
la page d'accueil de leur tout nouveau blog fashion, et
sourit à Avalon.

À présent qu'elles avaient abandonné *SMS Jour après
jour*, le cybermag de la Seaview Middle School, leur
première rubrique mode étincelait en rose et or sur
l'écran de son iMac !

– Bye-bye, mademoiselle Frey ! s'écria Avalon,
moqueuse, en attrapant Halley par les mains pour la
hisser hors de son fauteuil.

– Et adieu au concours-pour-les-nuls.com ! gloussa Halley.

Les filles commencèrent à danser au rythme de *Material Girl* de Madonna diffusé par les baffles de l'ordinateur. Halley saisit la télécommande pour augmenter le volume, puis se lança avec son amie dans un enchaînement qui datait d'avant le récent passage d'Avalon de l'équipe de gym dans celle des pom-pom girls. Pucci aboya et les pourchassa dans la pièce, jusqu'à ce qu'un cri défiant le mur du son les interrompe en plein mouvement.

– J'hallucine ! hurla Tyler, le frère aîné de Halley.

Visage blafard, le lycéen se tenait à l'entrée de la chambre en se bouchant les oreilles.

– Un problème, Tyler ? dit sa sœur avec un sourire en coin, absolument pas gênée par la musique qui faisait vibrer les vitres au risque de les pulvériser.

– J'ai cru qu'il y avait un tremblement de terre ! dit-il, les yeux exorbités.

Il secoua la tête en prenant un air horrifié et ses cheveux bruns ondulés retombèrent sur son visage parsemé de taches de rousseur, puis il ajouta, main sur la hanche en minaudant :

– Mais c'était juste *Hal-Valon : Concert Spécial Retrouvailles* !

– Euh... C'est *ça* qui t'a effrayé ? intervint Avalon, prête à faire une remarque sur son look de golfeur raté.

Elle se rappela soudain qu'il leur avait donné un sérieux coup de main la veille au soir, pour créer leur nouveau blog sur le Net, et changea aussitôt d'attitude.

– En réalité, c'est ton look d'enfer qui fait peur ! J'ai

failli ne pas te reconnaître. Ce polo est... effroyablement *adorable* ! dit-elle en souriant jusqu'aux oreilles.

Elle ne mentait qu'à moitié. Le polo bleu ciel s'harmonisait quasi parfaitement avec ses yeux ; en l'associant au treillis kaki délavé et aux baskets Chuck Taylor blanches, ça lui donnait un vague look intello-cool.

– Ce vieux truc ? rétorqua Tyler en plantant son regard dans celui d'Avalon.

Il s'avança en paradant jusqu'au lit de sa sœur puis fit demi-tour, façon top-model.

– Marrant, dès que je l'ai mis ce matin, j'ai pensé à toi, Avy, ajouta-t-il d'une voix sexy. *Ciao bella !*

Et dans un geste flamboyant, il disparut.

– Pfft ! gloussa Halley. Mon frère est encore plus cinglé que je ne croyais !

– Non, sérieux, grimaça Avalon en repoussant une longue mèche de cheveux blonds derrière son épaule, t'as de la chance que ce ne soit pas génétique.

– Ouais, sauf qu'il est génial quand il se sert de ses superpouvoirs en informatique, remarqua Halley en se rasseyant devant son ordinateur. Cinglé ou pas, Ty a tout bouclé hier soir, mine de rien.

– Exact, approuva Avalon en la rejoignant afin d'admirer de plus près leur nouveau blog pour au moins la centième fois depuis sa création.

Ça dépassait leurs rêves les plus fous. L'idée d'un site web était venue à Avalon dans un moment d'inspiration intense, juste avant de se coucher. Elle avait aussitôt enfilé son peignoir rose Barefoot Dreams et ses mules Ugg bien douillettes, puis franchi le portail séparant son jardin de celui de Halley, pour filer direct dans la chambre de sa meilleure amie. Quelques minutes plus tard, après avoir confié son idée à Halley, Avalon enregistra le nom de domaine et s'attela à la tâche, aidée de Tyler pour la partie technique. Mais si Avalon et lui avaient apporté leur contribution, ce fut le dessin réalisé par Halley qui rendit le site web spectaculaire : les deux filles, l'air adorablement horrifié par les tenues affreuses qu'elles lançaient dans la gueule baveuse de Pucci ! Bref, c'était furieusement fashion. Non, mieux que ça encore... c'était *fantachic* !

– J'adore le logo ! s'extasia Avalon, les mains sur le cœur.

Elle était convaincue que le site des *Fashion Blogueuses* alimenterait les conversations de tout le collège, voire de toute la ville de La Jolla, et qu'on en parlerait même jusqu'à San Diego, la grande métropole voisine. Peut-être qu'elles deviendraient des stars internationales, célèbres pour leurs commentaires fashion féroces mais justes !

– Heureusement que t'as suivi ce cours d'infographisme à ton stage artistique.

– Je savais que ça me servirait un jour, dit Halley en souriant.

– T'avais raison... pour une fois, pouffa Avalon. Franchement, ce blog est déjà tellement plus cool que notre rubrique pour le concours, non ?

– Absolument, acquiesça Halley en entortillant une longue mèche de ses cheveux bruns autour de son index. C'est sans doute la meilleure idée que t'aies eue depuis... toujours !

Avalon plissa le nez et frissonna de plaisir en pensant à l'avenir. Ça faisait des semaines qu'elle n'avait pas été aussi heureuse. Et malgré toutes les choses horribles qu'elles avaient vécues depuis que Halley était revenue de son stage, le duo Hal-Valon se révélait plus fort que jamais. Dès ce matin, en voyant l'adorable ensemble de Halley – une blouse paysanne blanche sous un gilet en velours noir, portée avec un jean slim et des chaussures en vernis rose à semelles compensées façon couture –, elle avait compris sur-le-champ qu'elle avait retrouvé sa meilleure amie. Bref, tout ce qui clochait entre elles et menaçait de saborder l'année de 4ᵉ était définitivement relégué au week-end précédent.

– Hé ! On a des commentaires ! annonça Halley.

Avalon souriait à en avoir le vertige lorsqu'elle se pencha par-dessus l'épaule de Halley pour lire les dernières réactions à leur premier post. Elle espérait voir l'enthousiasme de la première commentatrice contaminer leurs autres lectrices. Pourtant, à mesure que les mots défilaient sous ses yeux, elle se sentit blêmir. Impossible de trouver des réactions plus anti-Avalon ! Une boule grossit dans sa gorge, qu'elle tenta de chasser en toussotant, juste au moment où Halley s'étranglait de stupéfaction. Toutes les deux éclatèrent de rire pour masquer leur choc.

– Waouh ! lâcha Avalon, faussement ravie, tout en se tripotant nerveusement une mèche de cheveux. On dirait que l'équipe Halley a découvert le site.

– Pourquoi tu dis ça ? demanda Halley, qui se tourna et leva sur elle de grands yeux innocents.

– Pourquoi, d'après toi ? répéta Avalon en essayant de ne pas s'énerver.

Mais c'était trop tard... Elle mordilla ses lèvres fardées de gloss, puis sauta sur le lit pour faire un câlin à Pucci.

– Tu devrais m'étrangler pour avoir révélé le nom du

gars qui te faisait craquer ? Tu oublies la diffusion de la vidéo trop fun de mon enchaînement de gym ?

– Pfft ! souffla Halley en levant les yeux au ciel. Si j'ai bonne mémoire, t'avais... disons... une cinquantaine de supporters qui t'acclamaient hier au bahut... et qui t'ont offert ton déjeuner... et trois différentes sortes de smoothies après l'entraînement des pom-pom girls.

Avalon dut bien l'admettre en souriant. Ses partisans – menés tambour battant par Brianna Cho, la capitaine des pom-pom girls – l'avaient drôlement soutenue. Mais quand les supporters de Halley avaient commencé à brailler des chansons d'amour en plein milieu de la cour... c'était pi-to-ya-ble ! Halley avait dû se sentir bien plus gênée en entendant *Beautiful* de Christina Aguilera pendant le repas qu'au moment où Avalon l'avait chanté le samedi soir, en modifiant un peu les paroles pour révéler le nom du gars qui faisait flasher Halley.

Cependant, l'inquiétude envahit tout à coup Avalon. Et si tous ceux et celles qui lisaient le blog se rassemblaient derrière Halley ? Et si tout le monde considérait Avalon comme la mauvaise, en oubliant qu'elle s'était réconciliée avec Halley ? Et si les supporters d'Avalon ne trouvaient jamais le nouveau blog sur le web, ou pire encore... si tout leur groupe se séparait ?

– Arrête de te prendre la tête, enfin ! marmonna Halley en fronçant les sourcils. C'est précisément pour ça que c'était important de créer ce blog.

– Rappelle-moi encore pourquoi, au juste ! demanda Avalon en faisant la moue tandis qu'elle caressait le ventre de Pucci.

– Pour que tous les élèves comprennent qu'on est réconciliées, insista Halley, et qu'on fait front commun pour sauver l'école... Il y a eu suffisamment de fausses notes fashion à la soirée, alors pas la peine d'en rajouter !

Tout en inclinant la tête d'un air pensif, Avalon effleura le bandana orange et marron de Pucci, parfaitement assorti à son débardeur en soie dans les tons beige et mandarine.

– C'est la stricte vérité ! s'écria Halley en rejoignant Avalon et Pucci pour les serrer dans ses bras. Grâce aux *Fashion Blogueuses* sur le Net, tout le monde va se retrouver dans la même équipe, celle du duo Hal-Valon pour la vie ! Et tout ça grâce à ton idée de lancer ce nouveau blog.

Avalon rendit enfin son sourire à son amie. Bien sûr, Halley avait raison. Rien ne pouvait les arrêter quand elles se serraient les coudes. Et maintenant qu'elles étaient réunies, rien ne s'opposait à ce que la 4e soit la meilleure année de leur vie.

Une révélation troublante

*H*alley sentit la caresse du soleil matinal sur son visage tandis qu'elle respirait l'air marin et s'adossait au siège en cuir gris de la BMW décapotable de Constance Greene. Elle lança un regard à Avalon, dont l'esprit semblait aussi lointain que les trois mont-golfières qui flottaient au-dessus du littoral pacifique.

Comme Constance manœuvrait pour franchir la grille de la SMS, Halley se demanda si Avalon s'inquiétait encore des commentaires acerbes sur leur blog. Elle se promit de convaincre sa meilleure amie que tout allait bien se passer, mais elle tenait d'abord à le lui prouver... surtout en la voyant aussi préoccupée.

– J'hallucine ! s'écria soudain Avalon en passant de la déprime au dégoût pendant que Constance se garait. C'est quoi, ce truc ?

– Comme c'est drôle ! roucoula Constance sans remarquer l'air écœuré de sa fille.

Halley promena son regard sur le hall d'entrée voûté, où deux filles se livraient à une espèce de pantomime improbable. La plus grande dépassait sa camarade d'une trentaine de centimètres, et toutes deux portaient des collants et des bonnets noirs, avec des coussins de la même teinte sanglés sur le corps. De gros yeux d'insectes jaillissaient de leurs lunettes en plastique, achetées dans un magasin de farces et attrapes, tandis qu'elles agitaient des pancartes proclamant : DITES NON AUX MICROBES ! LISEZ LE BLOG INFO-SANTÉ ET VOUS SEREZ ÉPATÉS ! DÉCOU-VREZ LA MALADIE DU JOUR SUR LE CYBERMAG.

– Margie et Olive s'imaginent qu'on a envie de s'informer sur le rhume des foins et la varicelle ? s'étonna Avalon pendant que Halley et elle disaient au revoir à Constance et faisaient une bise à Pucci, toujours installée sur le siège passager. Elles sont censées repré-senter des microbes ? On dirait des mouches !

– En fait, j'ai entendu dire que le look cafard allait faire un malheur cette année ! gloussa Halley. Mortelles, leurs tenues !

– Et jamais d'insecticide quand on en a besoin ! grogna Avalon sans complexe.

Halley évita d'éclater de rire en voyant des élèves imiter Margie Herring et Olive Johnson. Elle était presque désolée pour elles... presque. Quand le duo Hal-Valon s'était retrouvé disqualifié du concours avec perte et fracas, les élèves avaient équitablement réparti leurs voix entre le blog sport et le blog musique. Si bien que le blog Info-Santé hypersérieux de Margie et Olive avait gagné par défaut.

Mais aussi bizarrement tragique que puisse être ce spectacle matinal, il offrit à Halley une source d'inspi-ration inattendue.

– Hé, on se retrouve au pavillon du cyberjourna-lisme ? demanda-t-elle à Avalon alors qu'elles traver-saient le hall d'entrée carrelé de l'ancien hôtel de style espagnol transformé en école, pour se diriger vers leurs casiers couleur gold.

– Pas de problème... mais pourquoi ? dit Avalon, narquoise. T'as prévu d'aller piquer une bombe de Raid dans le placard du gardien ?

– Peut-être ! répliqua Halley avec un sourire entendu.

Les déguisements de Margie et d'Olive – sans parler de leurs affiches, slogans, bref... tout leur bazar – tombaient sans doute à côté de la plaque, mais faire de la pub pour leur blog n'était pas une si mauvaise idée. Halley souhaitait prendre du matériel dans la salle d'arts plastiques pour mettre au point une fabuleuse campagne qui amènerait du monde au site web des *Fashion Blogueuses*... un truc sympa et classe, sans qu'elles soient pour autant obligées de se déguiser en bactéries surdimensionnées. Avalon en resterait baba. Et folle de joie. Halley l'espérait, du moins.

– OK, ça marche, accepta Avalon en lui souriant...

Jusqu'à ce que déboule une bande d'élèves, avec des tas de faux tatouages et les yeux maquillés comme des fans du groupe Fall Out Boy. Le sourire d'Avalon s'éclipsa sur-le-champ.

– Avec Halley, on va s'éclater ! hurlèrent deux sosies de Pete Wentz, manquant renverser Avalon au passage.

Halley écarquilla les yeux sans comprendre. Ils sortaient d'où, ceux-là ?

Elle en reconnaissait quelques-uns pour les avoir déjà croisés dans les couloirs, mais ne les avait jamais vraiment fréquentés... pas plus qu'elle ne leur avait parlé. Jamais. Halley décocha un regard à Avalon signifiant *aucune-idée-de-ce-qui-se-passe*. Cela sembla rassurer

Avalon puisqu'elle tourna les talons dans ses spartiates Juicy Couture et s'en alla en gazouillant :

– OK, à plus !

Tandis qu'elle gagnait la salle d'arts plastiques, Halley reprit son souffle en contrôlant sa respiration comme au yoga et tâcha d'oublier l'embuscade de ses supporters. Son estomac commençait à se dénouer lorsqu'elle aperçut Wade Houston, le chanteur du groupe des Dead Romeos. Wade Houston... dont tout le collège savait depuis peu qu'elle flashait sur lui. Wade Houston... qui s'avançait vers elle. Wade Houston !!!

Halley sentit le nœud se reformer dans son estomac... et sur ses épaules... dans son cou. Elle aurait voulu se cacher derrière quelque chose... N'importe quoi... mais il n'y avait que des rangées de casiers de part et d'autre du couloir. Bref, elle n'avait pas d'autre choix que de croiser le regard hypnotique de Wade.

– Salut.

Il s'arrêta à moins de trente centimètres d'elle et passa une main dans ses cheveux noirs, dont la fausse crête d'Iroquois évoquait davantage une crinière en bataille à présent.

– Oh, salut !

– Je ne t'ai pas revue depuis ta soirée, dit Wade tandis que sous ses cils épais ses yeux marron foncé se plantaient dans ceux de Halley.

Eh bien, Wade, pensa Halley, *c'est parce que je t'ai évité. J'imagine que t'avais pas envie d'être vu en compagnie d'une espèce d'abrutie qui avait fait une chanson disant combien elle était dingue de toi. Surtout que tu sors avec ta guitariste, autrement dit ma bonne copine Sofee Hughes !*

24

– Ah ouais... euh, j'étais assez occupée, je crois.

Halley haussa les épaules d'un air nonchalant, tout en tripotant l'ourlet de son gilet en velours noir. En tout cas sa tenue affirmait : *Tu aurais de la chance de sortir avec une fille comme moi.*

– OK, dit Wade en plissant les yeux.

Était-ce à cause du soleil qui traversait la verrière du plafond voûté ou parce qu'il ne la croyait pas ? Avait-il simplement lu dans ses pensées ? Ou était-il aussi mortifié qu'elle de savoir que tout le collège savait désormais qu'elle craquait pour lui ? À moins que ça ne le mette carrément en colère ?

– Euh... t'as une minute pour discuter ? reprit-il.

Houlà ! Un mélange de peur, de gêne et de panique menaçait de la paralyser sur place.

– Bien sûr. On va au jardin ?

Halley tâcha d'adopter son sourire de Joconde le plus séduisant et concentra toute son énergie sur sa respiration. Elle fit volte-face et entraîna Wade vers le jardin de la Sérénité, l'un de ses coins préférés de l'école. Heureusement, la tension lui donnait des ailes... en apparence, du moins.

Juste au moment où Wade et elle s'installaient sur un banc de pierre, à l'ombre d'un saule pleureur, deux filles en pull rose fluo avec *AVALON, C'EST PLUS FUN !* en lettres d'argent passèrent devant eux.

– Ta vidéo était bidon ! Avalon est trop canon ! hurla le duo de blondes.

Les deux clones d'Avalon continuèrent leur chemin en psalmodiant leur affreuse litanie ; elles empruntèrent le pont qui enjambait le bassin aux poissons exotiques et disparurent enfin.

– Euh... des copines à toi ? s'enquit Wade dans un sourire maladroit, tout en passant la main sur son tee-shirt en coton marron délavé.

– Je les adooore... maugréa Halley en serrant les dents, la paupière droite un peu tremblante.

– Bon... soupira Wade, qui s'adossa au banc et mordilla sa lèvre inférieure d'une manière craquante. En fait, j'avais plus ou moins envie de te parler de... euh... la chanson d'Avalon à la soirée de samedi dernier.

– Ah ouais... géniale, non ?

Halley croisa et décroisa les jambes deux ou trois fois, avant de se rendre compte que ça trahissait sa nervosité. Elle n'en revenait pas que Wade remette le sujet sur le tapis ! Pourquoi ne pas faire comme si l'incident ne s'était jamais produit ?

– Hmm... fit-il en se déplaçant sur le banc, de sorte que sa cuisse droite frôla par mégarde la gauche de Halley.

Elle tressaillit à ce contact physique et baissa les yeux, s'attendant presque à voir son jean s'enflammer tant Wade lui faisait de l'effet.

Lorsqu'elle releva la tête, Wade plongeait de nouveau son regard dans le sien. Avant samedi, elle aurait interprété une telle intensité comme de l'intérêt. Mais, à présent, Halley n'était pas dupe. Il la trouvait minable. Il allait la planter là. Alors qu'ils n'étaient même pas sortis ensemble ! Tous les trucs horribles qu'il s'apprêtait à balancer lui faisaient déjà l'effet d'une gigantesque paire de claques. Il ne pouvait absolument pas traîner avec une espèce de cinglée, obsédée comme elle. Il ne voulait pas qu'elle soit l'amie de Sofee, et plus du tout qu'elle s'occupe de la pub des Dead Romeos. Peut-être qu'il irait même jusqu'à la menacer d'une interdiction de l'approcher délivrée par le tribunal !

– Géniale, je ne sais pas trop, dit-il enfin, mais je n'arrive pas à m'ôter les paroles de la tête. En fait, je veux dire que...

Oh là là... Oh là là... Oh là là... Halley recroisa les jambes et son pied commença à s'agiter à la vitesse de l'éclair. Son cerveau lui semblait complètement ramolli, il ne pouvait plus contrôler son corps.

J'ai l'impression d'être une groupie, surprise en flagrant délit de harcèlement de sa star favorite, pensa-t-elle, désespérée.

– Euh... voilà... reprit Wade en inspirant profondément. Le truc, c'est que... je crois que je ressens la même chose pour toi.

Quoi ? Halley décroisa les jambes, frotta ses paumes toutes moites sur son jean, puis observa attentivement le visage de Wade pour vérifier s'il avait vraiment déclaré ce qu'elle croyait avoir entendu. Impossible de le savoir. Elle tenta de se rappeler les paroles exactes de sa chanson : *Oh, Wade, tu es beau comme un dieu. Je suis si heureuse d'avoir enfin trouvé... tout cet amour qui nous réunit.*

Arrrgh ! C'est pa-thé-ti-que. Attends...

– Euh... tu veux dire quoi, au juste... ? demanda Halley en le lorgnant du coin de l'œil.

– Bon, je ne vais pas te le chanter... répondit Wade avec un grand sourire tout penaud. Mais... euh... tu me plais aussi. Beaucoup, même. Et depuis un petit moment.

Halley réalisa alors qu'elle retenait son souffle et expira... lentement. Une brise légère s'était soudain levée et les oiseaux gazouillaient dans le saule pleureur au-dessus de leurs têtes tandis que la cascade derrière le banc enveloppait Halley dans une atmosphère zen. Des camarades passèrent devant eux comme dans un rêve, et se tournèrent vers Halley et Wade en leur souriant. Un peu comme s'ils regardaient le futur couple le plus sexy de la SMS. Soudain, une image beaucoup moins zen envahit l'esprit de Halley.

Et la véritable petite amie de Wade ? Sofee ?

– Alors, euh... ça t'inspire quoi ? dit Wade en approchant son beau visage si près de celui de Halley qu'elle sentit une odeur de menthe (poivrée, peut-être ?) dans son souffle.

– Ben... euh... bégaya Halley. Ouais... enfin, je veux dire... euh...

Wade éclata d'un rire qui signifiait : *Halley Brandon, tu es adorable.*

– Alors, c'est OK... tu veux bien sortir vendredi avec moi ?

Il vient de me proposer un rendez-vous ? Oui ! Oui ! Oui !

Halley aurait voulu savourer cet instant, mais comment faire quand une seule et unique question l'obsédait : *Et Sofee dans tout ça ?* Elle revoyait la scène où Sofee l'avait découverte cachée dans la limousine, après qu'Avalon eut révélé devant tous les invités que Halley flashait sur Wade. Et combien elle s'était sentie encore plus ridicule quand Sofee lui avait annoncé qu'elle et Wade « sortaient ensemble ».

– Euh...

Angoissée, Halley essaya de poser la question qui allait à coup sûr tout faire s'écrouler, quand la cloche du premier cours sonna.

– Oh ! Bon sang ! s'écria-t-elle. On peut se parler plus tard ?

– Aucun problème, répondit Wade avec un hochement de tête, avant de lui prendre le bras, tel un preux chevalier, pour l'aider à se lever. Je t'appelle.

Puis il se pencha et lui planta un petit bisou sur la joue en guise d'au revoir.

In-cro-ya-ble !

Tandis qu'elle courait vers le bâtiment principal, Halley était encore sous le choc. Comme elle approchait de la salle d'arts plastiques, une grande silhouette svelte passa devant un groupe d'élèves et faillit la percuter de plein fouet... Sofee ! Halley redescendit illico de son petit nuage. Comme si elle avait reçu un uppercut dans le ventre.

– Salut, Sofee... dit-elle, un peu essoufflée. Quoi de neuf ?

– Oh, tu sais... La routine.

Sofee se redressa et lui parut plus grande que d'habitude. Avec un look rock star plus réussi que jamais : dans sa longue crinière brune bouclée, les mèches violettes remplaçaient désormais les blondes, et elle portait une robe-débardeur noire sur un tee-shirt gris à manches longues, avec des sandales prune à semelles compensées qui lui faisaient des jambes interminables.

– Je ne t'ai quasiment pas vue depuis samedi, ajouta-t-elle. Tu vas bien ?

– J'ai une pêche d'enfer ! répliqua Halley, qui la gratifia d'un sourire radieux, un peu exagéré, tout en priant pour que Wade n'ait pas laissé comme une trace de baiser sur sa joue. (Et si Sofee sentait une vague odeur de menthe poivrée ?) Et toi, ça roule ?

– Impec, dit Sofee, impassible.

Puis elle s'empressa d'ajouter :

– Au fait... j'ai un truc à te dire, enfin... j'imagine. Wade et moi, on s'est séparés hier soir. Autant que tu le saches, quoi.

– Vraiment ? répliqua Halley dans un frisson, sans trop savoir si elle devait se réjouir ou plaindre Sofee. Waouh ! Est-ce que tu... ?

– J'ai pas franchement envie d'en discuter, l'interrompit Sofee, une farouche détermination dans ses yeux sombres. Je suis passée à autre chose.

Halley piétina sur la moquette gold du couloir, à l'entrée de la salle :

– T'en es sûre ?

– Ouais, dit Sofee, qui se hérissa puis baissa les yeux. Enfin, je pense. Franchement... c'est pas un drame. Quel genre de fille laisserait un gars lui gâcher la vie, hein ?

Sofee releva la tête et son visage s'adoucit en prenant une expression optimiste. En dépit de son allure volontiers nonchalante, elle semblait attendre une sorte de confirmation de la part de Halley.

– Ouais. Bien sûr. Tout à fait, approuva Halley en grimaçant un sourire, tandis qu'elle rajustait son sac L.A.M.B. multicolore sur son épaule.

– Enfin, bref... faut que je file en cours, conclut Sofee en haussant un sourcil, celui avec le minuscule anneau en argent. Mais je te verrai plus tard, OK ?

– Oui, oui, répondit Halley, un peu abasourdie.

Elle entra dans la salle d'arts plastiques, prit son matériel puis retraversa en courant le bâtiment principal avant de foncer vers le pavillon du journalisme, un million de pensées dans la tête.

Je dois à tout prix parler à Avalon. Elle pourrait m'aider à savoir ce que je dois faire. Mais Avalon déteste Sofee. Malgré tout, c'est grâce à Avalon que Wade sait qu'il me plaît. C'est donc aussi grâce à elle qu'il m'apprécie aussi, en quelque sorte. Mais qu'est-ce qui a bien pu se passer avec Sofee ? Peut-elle vraiment oublier un gars aussi génial que Wade en une soirée ? Sait-elle au moins que je plais à Wade ? Est-ce qu'elle faisait juste semblant d'être sympa ? Aurais-je dû m'excuser auprès d'elle ? Mais après tout... je n'ai rien fait de mal, si ?

La deuxième sonnerie retentit, signalant le début des cours.

Super, se dit Halley, *je suis en retard pour le premier.*

Si seulement tous ses problèmes étaient aussi simples que celui-là.

À mélanger avec précaution

A valon traversa le réfectoire pour gagner les portes en verre fumé donnant sur le patio. L'appétissant arôme de pizza au basilic en provenance des cuisines faillit la détourner de sa mission, mais elle poursuivit son chemin. Une seule chose lui mettait l'eau à la bouche : la grande info du jour !

Arrivée au-dehors, elle se dirigea tout droit vers la table que Halley et elle partageaient habituellement, en tenant serré dans la main le mot griffonné sur un bout de papier que sa meilleure amie lui avait passé en cours de cyberjournalisme : *Faut qu'on se parle.* Devait-elle s'inquiéter ? Se réjouir ? Halley était déjà attablée avec une simple bouteille de San Pellegrino. Visiblement, elle non plus n'était pas d'humeur à se restaurer. Bon signe ou mauvais signe ?

– Alors ! Qu'est-ce qui se passe ? murmura Avalon un peu fort en s'asseyant à côté de Halley.

– Tu ne vas jamais me croire, répondit Halley, qui se mordilla l'ongle du pouce en se penchant vers elle.

– Je t'écoute, dit Avalon en lui attrapant la main, toujours prête à sauver la manucure de sa meilleure amie.

33

Halley inspira un grand coup et écarquilla ses yeux bleus. Juste au moment où elle ouvrait ses lèvres rose bonbon, une voix qui n'était pas du tout la sienne intervint :

– Avalon ! Enfin !

Avalon se tourna et découvrit Brianna tout excitée et les joues en feu, comme si elle venait d'avaler une caisse de Red Bull. *Comme si.* La capitaine des pom-pom girls n'aurait jamais recours à des boissons énergisantes. C'était l'une des mille et une choses qu'Avalon respectait chez elle. Sans parler de son sang-froid, qu'elle semblait garder en toute occasion. Jusqu'à maintenant.

– Je t'ai cherchée partout ! s'étrangla Brianna en déboulant comme une folle.

Avalon allait poliment lui demander si elle pouvait lui parler plus tard, mais son amie avait à l'évidence une info hyperimportante à lui communiquer... et Avalon était aussi trop éblouie par son ensemble pour l'envoyer balader. C'était la plus incroyable tenue sport chic de l'histoire du style passe-partout, à la ville comme à la gym : un justaucorps rouge Stella McCartney pour Adidas, sous une minijupe plissée en jean, avec un fabuleux foulard rayé rouge, gris et violet foncé, et des jambières assorties. Sur n'importe quelle autre fille, c'était un Beurk assuré sur l'échelle des valeurs fashion du duo Hal-Valon. Mais sur Brianna, ça méritait un Top. Elle aurait pu faire la couverture de *Teen Vogue*. C'était un look plein d'énergie, plein de...

Quoi ? Mais pas du tout, en fait !

Avalon remarqua le logo brodé, juste au-dessous de la doudoune droite de Brianna : *ADIDOS*. En fait de *fantachic*, sa tenue était *gymnastoc* !

34

Impressionnant !

– Bree ! J'adore le justaucorps, observa Avalon, tout sourire.

– Oh ! Merci ! dit Brianna, radieuse mais encore essoufflée. Écoute, est-ce que je peux te parler ? C'est hyperimportant. Genre mégahyperimportant.

– OK, pas de problème.

Avalon passa une main aux ongles vernis bronze dans ses longs cheveux blonds et pencha la tête d'un air intrigué, tout en évitant de paraître trop impatiente. Car entre ce que Halley devait lui confier et le scoop imminent de Brianna, elle avait soudain l'impression d'être la journaliste la plus sollicitée de la ville.

– En privé, insista Brianna, qui plissa ses yeux en amande avec intensité.

– Mais... euh... on peut parler devant Halley, tu sais, hésita Avalon en posant le bras derrière le dossier du fauteuil de son amie.

– Ah bon ? s'étonna Brianna en exhalant un grand soupir, à l'opposé de son attitude habituellement plus calme.

Elle s'assit, rapprocha son siège de celui d'Avalon et lança des coups d'œil furtifs ici et là avant de déclarer, résignée :

– Ça la concerne aussi, j'imagine...

Avalon adressa un sourire rassurant à Halley puis, voyant le regard agacé de sa meilleure amie, se tourna vers Brianna. Celle-ci s'éclaircit la voix et se pencha tellement que ses épais cheveux noirs et soyeux effleurèrent la table. Avalon entendit Halley se caler dans son fauteuil pour prendre une gorgée de San Pellegrino.

– On nous a invitées à participer au CRIP, le Championnat régional intercollèges de pom-pom girls, annonça Brianna à voix basse. Mais notre équipe doit compter vingt membres, et il ne nous reste que trois semaines avant le concours. On va donc voter cet après-midi pour décider de fusionner les équipes de pom-pom girls et de gymnastes.

Formidable ! Après la réconciliation du duo Hal-Valon, c'était la plus grande nouvelle dont Avalon puisse rêver. Abandonner la gym quelques semaines plus tôt – juste avant qu'elles ne partent chacune de son côté – avait été l'une des décisions les plus difficiles de sa vie. Mais à présent, c'était un peu comme si les dieux des activités extrascolaires se penchaient sur leur blog et décidaient d'officialiser leurs retrouvailles. Non seulement le site des *Fashion Blogueuses* les réunissait, mais elles allaient de nouveau concourir dans la même équipe !

– Toutefois, il faut un vote majoritaire en faveur de la fusion, précisa Brianna tout en tripotant nerveusement son foulard.

Pourquoi Brianna s'inquiétait-elle autant ? *Bien sûr* que tout le monde voterait pour ! Les gymnastes saute-raient – littéralement – sur cette occasion de participer à un événement aussi prestigieux. Et avec davantage de filles dans l'équipe, ça ne ferait que rendre les pom-pom girls encore plus performantes. On offrait une chance fabuleuse aux gymnastes, aux pom-pom girls et au duo Hal-Valon ressoudé. Du gagnant-gagnant sur toute la ligne, en somme. Une association d'enfer au paradis des pom-pom girls !

– Mais... si les gymnastes refusaient de devenir pom-pom girls ? intervint Halley d'un air moqueur avant qu'Avalon puisse apporter son soutien sans réserve à Brianna.

Hein ? Halley rejetait sérieusement l'idée ? Elle n'avait même pas pris le temps de réfléchir aux fabuleuses conséquences de cette fusion.

– Enfin, qu'est-ce qui les en empêcherait ? s'enquit Brianna, nerveuse, en se tournant vers Avalon pour solliciter son appui.

– Ouais, Hal, pourquoi elles ne voudraient pas ? renchérit Avalon en implorant sa meilleure amie du regard.

– J'en sais rien, dit Halley dans un haussement d'épaules. Tu penses vraiment qu'on est assez *pepsy* ?

– Pfft ! N'importe quoi ! gloussa Avalon en agitant la main pour écarter les idées fausses de son amie. Ne t'inquiète pas, Bree. Laisse-moi en discuter avec Halley et je suis sûre que tout va bien se passer.

– Super ! se réjouit Brianna en se levant d'un bond au point d'en faire trembler la table. Je savais qu'on pourrait compter sur toi, Avalon ! L'équipe ne s'en remettrait pas si on la privait de championnat, tu comprends ?

– Ouais, complètement.

Brianna s'en allait déjà, mais elle virevolta soudain sur ses adorables vernis noirs à talons plats et fixa Halley, une lueur dans les yeux.

– J'espère juste que les gymnastes seront à la hauteur, ajouta-t-elle d'un ton inquiétant. Les enchaînements de pom-pom girls n'ont rien à voir avec la gym.

Avalon sentit ses joues rougir comme Brianna s'éloignait. Elle détestait cette tension entre ses amies... même si ça la flattait, en un sens, comme si elles se disputaient pour elle. Mais ce n'était pas vraiment ce qui la déran-

37

geait le plus. Brianna venait de remettre en question les aptitudes des gymnastes à s'adapter, alors qu'Avalon elle-même en était une quelques semaines plus tôt à peine. N'était-elle pas ce qui était arrivé de mieux à l'équipe ? Depuis le début, Brianna se réjouissait pourtant de son entrée dans le groupe, non ? Avalon papillonna des paupières et chassa cette incertitude de son esprit. Elle devait à tout prix po-si-ti-ver, comme Brianna l'affirmait toujours.

– Bon, tu vas jouer le jeu, pas vrai ? demanda Avalon en gardant un sourire un peu ironique pour éviter que Halley reste sur la défensive.

– C'est une question ou un ordre ? riposta son amie en lui lançant un regard noir tandis que ses ongles laqués de rose pianotaient sur la table.

A priori, sa tactique ne marchait pas...

– C'est pas à moi de te dire quoi faire, évidemment. (Avalon optait pour la moue, à présent.) Mais ça m'étonnerait que tu rates une occasion d'en mettre plein la vue aux pom-pom girls avec tes culbutes et tes pirouettes !

– Ha ! fit Halley en souriant.

Enfin...

– S'il te plaît ! implora Avalon. T'imagines toute l'équipe en train de nous porter en triomphe, pour fêter leurs meilleures concurrentes au championnat régional... comme le faisaient les gymnastes !

– Ben... euh...

Visiblement Halley se laissait peu à peu amadouer.

– Tu ne vois pas que les pom-pom girls sont devenues des gymnastes hypertendance ? dit Avalon en défiant Halley de ses yeux sombres.

– Et toi, tu réalises que personne dans l'équipe de gym ne voudra obéir à Brianna ? grimaça Halley. C'est quoi, ces jambières, ce foulard et ce just-*faux*-corps, franchement ?

– En fait... j'ai trouvé qu'elle s'en tirait pas trop mal, dit Avalon, haussant un sourcil blond tout en évitant de glousser sur le jeu de mots de son amie.

– Mais je rêve ou quoi ? s'exclama Halley, incrédule, avant de finir son eau minérale.

– Non, je t'assure. Ça m'a même donné l'idée d'un nouveau post sur le blog. Allons-y !

Tandis qu'elle entraînait Halley sur l'allée de brique qui menait au pavillon du journalisme, Avalon trouva une dizaine d'autres bonnes raisons qui justifiaient la fusion des équipes de gym et de pom-pom girls. À mesure qu'elle les énonçait, la résistance de Halley faiblissait de plus en plus. Et lorsqu'elles eurent terminé leur nouvelle rubrique des *Fashion Blogueuses*, Avalon avait réussi à lui vendre son idée comme une tenue couture dégriffée à un prix défiant toute concurrence !

Les Fashion Blogueuses

TOUJOURS CHIC ET JAMAIS TOC !

FLASH SPÉCIAL : Le vrai-faux pastiche !

Posté par Halley, le mardi 30 septembre à 12 h 47

On les a toutes vus : les pochettes *Cucci*, les petits hauts *Tammy Hilfiger*, les *Prado* en skaï. Les copies font malheureusement partie du monde de la mode, et les fashionistas les moins futées d'entre nous sont souvent victimes de ces stylistes peu stylés... pour ne pas dire imposteurs. Toutefois, on a récemment découvert que même les filles les mieux lookées de l'école exhibent des marques bidon. Alors il est temps pour *tout le monde* de savoir distinguer le vrai du faux. Voilà donc trois règles simples pour traquer la fausse griffe classe qui déclasse.

1. **Examinez le LOGO.** Regardez attentivement. Oups ! YSL c'est Yves Saint Laurent (paix à son âme)... VSL, c'est du Véritable Style Lamentable (paix à son âme aussi). RL signifie Ralph Lauren... tandis que PL est l'abréviation de Pauvre Looser. D&G, c'est Dolce & Gabbana... tandis que B&G veut dire Bidon & Grossièrement imité. Vous avez pigé ?

2. **Vérifiez la MATIÈRE.** Parfois la griffe est bien réelle (ou du moins bien orthographiée), mais c'est là que le chic

devient toc. Scoop : si ça ressemble à du skaï et que ça sent le skaï, alors il y a de fortes chances que ce soit – tout le monde reprend en chœur – du *skaï* ! Même si l'étiquette affirme : *Cuir véritable.* Et SVP, n'allez pas nous dire que vous ne faites pas la différence entre le polyester et le coton !

3. Essayez la TENUE. Si vous avez choisi la bonne taille, un vrai vêtement griffé vous ira comme un gant... et vous n'aurez *jamais, jamais* l'air boudiné. Comme une vraie bonne copine, la tenue vous met en valeur, mais jamais mal à l'aise. Sinon, coucou, les filles... On se réveille ! C'est sans doute un faux. Et un méga Beurk !

Passons maintenant à l'exception qui confirme la règle. Même nous, les *Fashion Blogueuses*, pouvons admettre que ce n'est pas toujours un crime de porter une copie de marque... *à condition* d'être une véritable meneuse, capable de transformer un look ringard en look de star. (Bref, si grâce à vous la copie devient encore plus classe que l'original... vous ne serez pas condamnée pour faux et usage de faux !) D'ailleurs, à propos de meneuses... le bruit court que les pom-pom girls et les gymnastes pourraient fusionner en une super équipe d'enfer pour le Championnat régional inter-collèges des pom-pom girls ! La SMS pourrait-elle alors décrocher le ticket gagnant pour jouer en 1re division ? Avec la bonne personne à la tête de l'équipe, c'est dans la poche ! Allez les Lions !

Soyez glamour avec humour,
et bon shopping !

Halley Brandon et *Avalon Greene*

COMMENTAIRES (63)

J'hallucine ! Vs trouV cool de porT 1 copie d'mark ? Keski vous arrive, les filles ?
Posté par sexygirl le 30/9 à 12 h 59.

Hé ! Gnial ce proG de fusion entre les pom-pom girls & les gymnastes... mais ça veut dire qu'1 de VOUS 2 va devenir Kpitaine ? Vs êtes de vraies meneuses, après tt ;-) Du coup, tt l'monde va soutenir l'équipe Hal-Valon. Bonne chance, les filles !
Posté par radio-potins le 30/9 à 13 h 08.

Voilà prkwa j'fais ttes mes tenues. Kom ça G 1 look total kouture. Projet haute couture, j'arrive ! MDR !
Posté par fashionDiva le 30/9 à 1 h 17.

OK avec sexygirl ! PorT 1 copie C nul. 1 vraie meneuse ne se ferait jamais prdre en flagrant Dlit de faux et usage de faux... et C impossible de rendre 1 copie + classe que l'original. Vs devriez le savoir, les filles. Oh... j'allais oublier : certaines fringues de mark tombent mal. On peut pas ttes avoir D corps de top-model, si ? Bien joué qd même, pr 1 peu on l'aurait cru.
Posté par Vogue_a_l'âme le 30/9 à 13 h 38.

La majorité l'emporte

$\mathcal{H}$alley faisait la queue, son petit bulletin de vote à la main, et attendait de pouvoir le glisser dans l'urne. Elle tenta de deviner en regardant le visage de chaque gymnaste et de chaque pom-pom girl ce qu'elles avaient pu voter tandis qu'elles regagnaient une à une les gradins. Mais elle n'avait aucun doute sur la tournure des événements.

– Allez, les Lions ! lança Tanya Williams en souriant à Halley. On refait équipe ensemble ?

Ses dents blanches étincelaient sous le soleil de l'après-midi. Tanya était une fabuleuse athlète et une pom-pom girl. Au tennis, quand Avalon s'était retrouvée sur la touche à cause d'une blessure, elle l'avait remplacée pour jouer en double avec Halley ; son service se révélait tellement puissant que les gens lui demandaient souvent si elle était apparentée aux célèbres sœurs Williams.

Halley lui rendit son sourire et écarquilla ses yeux bleus avec enthousiasme.

Même si elle en voulait encore à Brianna – surtout elle ! – de lui avoir volé la vedette côté scoop à l'heure du déjeuner, elle s'était dit qu'il valait mieux garder sa grande nouvelle concernant Wade pour plus tard, lorsqu'elle aurait toute l'attention d'Avalon. Par ailleurs, se retrouver dans la même équipe qu'Avalon – et Tania – se révélait plutôt excitant. Après tout, le cours de gym était moins drôle depuis le départ d'Avalon... et peut-être qu'elles pourraient transformer les figures de pom-pom girls en un sport à part entière.

– Bienvenue parmi nous, les filles, gloussa Andi Lynch, qui passait devant des gymnastes en postillonnant comme d'habitude à qui mieux mieux.

Je vais devenir pom-pom girl. Je vais devenir pom-pom girl. Je vais devenir... pom-pom girl ?

Tout en respirant l'odeur douce-amère du terrain de football récemment fertilisé, Halley tentait de s'imaginer en train de hurler en chœur avec ses camarades en agitant des pompons. Au début, elle avait tressailli à l'idée de se métamorphoser en Miss Pepsy-en-toute-occasion et de fréquenter les nouvelles copines d'Avalon toujours débordantes d'énergie. Mais Avalon, en vraie fille d'un couple d'avocats, était particulièrement douée pour défendre sa cause et rejeter la moindre objection. Halley comprit qu'elle tenait là l'occasion rêvée de lui prouver toute son amitié, d'autant plus qu'elle n'avait pas eu un moment de libre pour préparer la campagne de pub des *Fashion Blogueuses*.

– A voté ! lança Liza Davis, l'une des filles les plus prometteuses du groupe de gymnastique.

Tout en arborant fièrement son débardeur rose pâle, avec ses épais cheveux bruns relevés en chignon, elle fit un clin d'œil à Halley. De toute évidence, les efforts de Halley étaient payants et elle avait eu raison d'utiliser les arguments d'Avalon pour rallier les gymnastes. Ce fut enfin à Halley de voter.

— La dernière, et non des moindres ! s'exclama le coach Carlson.

Assise derrière sa petite table pliante, elle la regarda en rayonnant, les joues luisantes de transpiration. Au contraire du coach Howe, qui paraissait jeune et assez mince pour être elle-même une gymnaste, le coach Carlson ne ressemblait pas du tout à une pom-pom girl. Toutefois, elle en possédait le dynamisme.

Halley adressa un grand sourire aux deux coachs, glissa son bulletin dans l'urne, puis alla rejoindre les autres filles dans les tribunes.

— C'est tellement dingue, dit Kimberleigh Weintraub en s'asseyant près de sa coéquipière blonde. J'en reviens pas qu'on soit sur le point de devenir des pom-pom girls.

Kimberleigh frémit des narines avec son nez en trompette. C'était son expression favorite, dont elle usait et abusait, à tel point que Halley et Avalon l'avaient secrètement surnommée Miss Piggy.

— Votre attention, les filles ! lança le coach Carlson quelques minutes plus tard, ses boucles orange flottant dans la brise tandis qu'elle tenait l'urne dans ses mains potelées. Nous avons les résultats du vote, alors un peu de calme, s'il vous plaît !

Halley lança un regard à Avalon, de l'autre côté des tribunes, afin de partager ce grand moment avec elle. Mais sa meilleure amie était en pleine messe basse avec d'autres pom-pom girls. Tant pis. Elles fêteraient l'événement plus tard.

— Donc, lança le coach Howe de sa voix flûtée, du haut de son mètre cinquante-deux, l'air plus menu que

45

jamais dans son justaucorps et son pantalon d'échauffement marine, c'est une victoire écrasante ! Nous avons dix-neuf « oui » et un seul « non », par conséquent...

– Félicitations ! Vous êtes toutes des pom-pom girls à présent ! s'exclama le coach Carlson, qui semblait à deux doigts d'exploser dans son gilet à rayures bleu-blanc-rouge.

– Waouh ! s'écria Brianna en bondissant des tribunes pour rejoindre les coachs sur la ligne de touche avec Sydney McDowell, la capitaine adjointe, une petite blonde aussi enthousiaste qu'elle. Allez, on se met en formation pour le V de la victoire !

– OK ! Super ! Génial ! renchérit Sydney, qui leva plusieurs fois la jambe et toucha la pointe de ses pieds avant d'exécuter un mouvement ondoyant avec ses bras, tandis qu'elle lançait ses hanches en avant. Approchez-vous, les filles !

Tout excitée, Avalon tapota l'épaule de Halley et fit une mimique en plissant le nez, puis s'empressa de rejoindre Brianna, Sydney et les autres pom-pom girls. Halley s'apprêtait à les suivre lorsqu'elle vit ses camarades gymnastes échanger des regards hésitants et traîner des pieds en s'approchant de la pelouse. Halley chercha Avalon des yeux, mais son amie attaquait déjà un enchaînement à base de cabrioles et de mouvements de danse avec son équipe.

– On fait quoi maintenant ? souffla Kimberleigh à l'oreille de Halley. Personne ne va nous montrer les figures ?

– Bonne question, répondit Halley dans un murmure.

Les gymnastes se regroupèrent de manière plus ou moins maladroite et continuèrent à regarder les pom-pom girls, lesquelles ne semblaient pas se rendre compte que leurs nouvelles coéquipières ne se mêlaient pas à elles.

– Bon alors, c'est qui la capitaine ici ? finit par s'égosiller Kimberleigh pour couvrir le bruit des pom-pom girls qui hurlaient : « Ça va rugir, ça va saigner ! Les Lions vont vous dévorer ! ».

Halley réprima son envie de rire en se mordant la lèvre et pressa gentiment la main de Kimberleigh pour la calmer.

– Quoi ? répliqua Brianna en s'arrêtant brusquement de sauter partout, bientôt imitée par ses camarades.

Son sourire s'évanouit, tandis qu'elle rajustait nerveusement la bretelle de son justaucorps Adidos.

– C'est Brianna la capitaine, intervint Sydney d'un ton railleur, les mains sur les hanches, en remuant son popotin. Et moi, je suis cocapitaine !

Avec ses tout petits bras vaporisés à l'autobronzant et son débardeur blanc moulant, on aurait dit un Oompa-Loompa, comme dans *Charlie et la Chocolaterie*.

– C'est quoi ? Une coco... coca... *cocapitaine ?* bégaya Kimberleigh, confuse, en palpitant furieusement des narines.

– Sydney est mon adjointe... comme une vice-présidente, lui expliqua calmement Brianna. Et moi, je suis la présidente, si tu préfères.

Halley se demanda si les questions de Kimberleigh énervaient la capitaine ou si celle-ci jugeait la hiérarchie des pom-pom girls trop compliquée à comprendre pour ces pauvres gymnastes un peu arriérées.

– Et comme votre coach l'a dit, vous êtes toutes des pom-pom girls à présent !

Brianna retrouva le sourire et sa queue-de-cheval noire

s'agita dans tous les sens pendant qu'elle se tournait de tous côtés en quête de soutien. Toutes les pom-pom girls hochèrent la tête... même Avalon.

– Comme *notre* coach l'a dit ? marmonna Kimberleigh.

– En fait... intervint le coach Howe en s'approchant de Brianna, le coach Carlson dans son sillage, ma collègue et moi étions justement en train d'en discuter.

Le coach Carlson adressa un signe de tête à Brianna et à Sydney, un sourire éclairant son visage poupin en guise d'excuse.

– Une équipe de pom-pom girls a besoin d'unité, et chaque membre est important pour ce nouveau groupe. Alors chacune d'entre vous doit se sentir à l'aise.

Sydney écarquilla ses yeux violets d'un air incrédule tandis que Brianna fixait du regard ses éclatantes Nike blanches tout en piétinant nerveusement une touffe d'herbe.

– Nous devons boucler le programme en un temps record, poursuivit le coach Carlson en s'essuyant les paumes sur son étroit short bleu roi. Par conséquent, Bree, Sydney et toi allez enseigner à tout le monde l'enchaînement du championnat, et dans une semaine nous voterons toutes pour désigner la capitaine officielle de l'équipe. Ça te va ?

Même si Halley ne voyait pas le visage de Brianna, les autres pom-pom girls paraissaient stupéfaites... surtout Sydney et Avalon. Quand Brianna releva la tête, ses yeux noirs étincelaient et sa voix claire redoublait d'enthousiasme :

– Super ! C'est parti, les filles !

– Tous les entraînements se déroulent aussi bien ? grimaça Halley en s'éloignant du terrain de football avec Avalon.

Alors que Brianna et Sydney discutaient avec les deux coachs, Halley se retrouva enfin en tête à tête avec sa meilleure amie. Nul doute, Brianna avait du pain sur la planche. À la fin de la séance, elle donnait l'impression de vouloir céder volontiers sa place à la première qui se présenterait.

– Euh... non... C'était pire que tout, soupira Avalon en détachant sa queue-de-cheval pour libérer ses cheveux blonds, comme dans une pub pour Pantène Pro V.

Comment faisait-elle pour rester aussi impeccable, même après avoir transpiré une heure d'affilée ?

– C'est la capitaine qui avait tout faux, dit aussitôt Halley dans un haussement de sourcils.

– Qu'est-ce que tu racontes ? rétorqua Avalon en se renfrognant à son tour.

– Redescends sur terre ! Brianna a fait l'impasse sur les dix nouvelles filles de l'équipe, jusqu'à ce que Miss Piggy intervienne. Et même après ça, t'étais apparemment la seule à te rendre compte qu'on avait peut-être besoin de quelqu'un pour... disons... nous diriger un peu.

– Vraiment ? dit Avalon en plissant le front. J'ai pourtant cru qu'elle essayait...

– Elle essayait peut-être, mais c'était raté, ricana Halley.

– Hal-ley... s'il te plaît, gémit Avalon en la regardant avec des yeux de chien battu.

Halley pinça les lèvres d'un air désolé. Elle ne voulait pas se montrer aussi dure... pas envers Avalon, du moins. Toute cette histoire de fusion lui donnait l'impression d'être une étrangère, égarée au pays totalitaire de... *Pom-pomland*. Elle devait à tout prix changer de sujet... Heureusement il en existait un qui lui tenait à cœur et n'avait aucun lien avec le futur championnat. Soudain, elle aperçut le *sujet du jour* en personne : Wade, appuyé contre un chêne, près de la ligne de touche du terrain de jeu, en train de l'observer à distance.

Angoisse ! Qu'est-ce qu'il peut bien faire là ?

Halley tenta vaguement de se recoiffer, arrangeant sa queue-de-cheval en désordre et pleine de sueur, puis baissa les yeux sur sa brassière de sport grise tout aussi trempée et son short blanc maculé de taches d'herbe. Ça ne pouvait pas être pire. Par-dessus le marché, elle revenait d'un entraînement de pom-pom girls ! Tout l'inverse de la rock'n'roll attitude ! Elle observa Wade en coin. Il lui souriait ou quoi ?

Halley essaya de garder l'œil rivé sur l'allée en brique devant elle, mais elle sentait le regard de Wade... comme s'il l'implorait de se tourner vers lui. Halley s'apprêtait à céder quand...

Mais je rêve ! Qu'est-ce que Sofee vient faire là maintenant ?

Halley se sentit tiraillée en tous sens. D'un œil fébrile, elle observa Avalon qui marchait d'un bon pas à ses côtés, plongée dans ses pensées. À l'évidence, ce n'était pas le moment de lui demander conseil au sujet de Wade... et elle ne pouvait pas non plus aller parler à Wade sous le nez de son ex-petite amie. Bref, il ne restait plus qu'une possibilité.

– Hé, c'est Sofee ! s'exclama Halley. J'ai deux mots à lui dire pour notre devoir de dessin. On se retrouve aux vestiaires ?

– Mais... attends ! s'écria Avalon alors que Halley partait déjà en courant.

Comme elle s'approchait de Sofee, Halley se dit qu'elle ne pouvait pas discuter aquarelle d'un air détaché en faisant mine de n'avoir pas vu Wade.

– Salut ! lança-t-elle, sourire aux lèvres, lorsqu'elle rejoignit Sofee près des pavillons de la SMS. Comment ça va ?

– Ça peut aller, répondit Sofee en lui rendant son sourire, ses mèches violettes flottant doucement autour de son visage bronzé. Je pensais bien que tu serais dans les parages.

– Ben ouais, admit Halley en se renfrognant tandis qu'elle tripotait les manches de son sweat à capuche, noué à la taille. Je suis... euh... pom-pom girl maintenant.

Elle n'en revenait pas d'avoir prononcé ces mots à voix haute... surtout en présence de Sofee, la déesse de la guitare et la fille la plus cool du collège.

– Sérieux ? répliqua Sofee, l'air affligé.

Halley hocha plus ou moins la tête en roulant des yeux :

– Ça craint, non ?

– Mouais... dit Sofee, dont le visage s'assombrissait alors qu'elle ne regardait plus Halley. Qu'est-ce que Wade fabrique là-bas ? C'est le genre de gars allergique aux terrains de sport.

Halley évita de paniquer en se retournant.

– J'en sais rien, dit-elle avec désinvolture, comme si elle le voyait pour la première fois. Peut-être qu'il veut devenir pom-pom... *boy* ?

– Ha ! lâcha Sofee, ironique, en faisant frémir le petit

clou en diamant sur son nez. T'es bien placée pour le savoir.

Quoi... ? C'est une accusation ? Sofee sait qu'il m'a proposé de sortir avec lui ?

– À mon avis, c'est uniquement la tenue qui l'intéresse, ironisa Halley en tâchant de recouvrer son humour.

Sofee n'esquissa même pas l'ombre d'un sourire.

– Arrgh ! Il n'est quand même pas en train de lui parler, si ? fit-elle en crachant presque les mots, les yeux toujours fixés sur le terrain de sport.

Halley fit encore volte-face pour découvrir cette fois Wade et Avalon bavardant comme de vieux amis.

– C'est bizarre.

Décidément, Halley n'y comprenait plus rien, elle non plus.

– C'est typique des mecs, reprit Sofee dans un froncement de sourcils. Aucun d'eux ne peut résister à Miss Airbags !

Elle avait redressé les épaules et la semelle de sa sandale en jean martelait nerveusement l'allée.

Halley manqua s'étrangler de rire. Elle allait dire à Sofee que tout ça était finalement assez ridicule... mais elle se ravisa en voyant la tristesse et la colère briller dans ses yeux sombres.

– Je n'arrive toujours pas à croire qu'Avalon puisse te faire ça, poursuivit Sofee d'un ton amer.

– C'est-à-dire ? demanda Halley, déconcertée.

– Enfin, réveille-toi ! Il y a... quoi ?... trois jours à peine, cette fille révèle à tout le bahut que tu flashes sur Wade, et la voilà en train de le draguer ? dit Sofee en secouant furieusement la tête. Vous vous êtes réconciliées, non ?

– Ouais, mais... hésita Halley, prête à nier sur-le-champ qu'elle craquait pour Wade.

Mais puisque Sofee n'y avait pas cru samedi soir, pourquoi y croirait-elle maintenant ? Et pourquoi lui mentir à tout prix ? Halley s'était tue, mais Sofee repartait de plus belle.

– À ce que je vois, ça ne la dérange pas d'enfreindre le code d'honneur de l'amitié en allant jusqu'à lui parler ! déclara-t-elle. C'est rien d'autre qu'une voleuse de mecs... une voleuse de coups de cœur. Pas vrai ?

Oh, oh... Ce matin, Sofee affirmait pourtant être passée *à autre chos*e. Ça signifiait donc que Halley briserait les règles de l'amitié en sortant avec Wade... ou bien Sofee cherchait-elle seulement à la tester ?

Dix minutes plus tôt, Halley trouvait à la fois nulles et compliquées les figures de pom-pom girls. Mais en voyant à présent le regard blessé de Sofee, elle réalisa que l'exécution parfaite de l'enchaînement devenait le cadet de ses soucis.

Les vestiaires ont des oreilles

A valon lança un regard vers la porte des vestiaires des filles et fourra sa tenue d'entraînement humide dans son sac de gym Puma vert. Nouveau coup d'œil en direction de la porte, dans l'espoir que Halley la franchirait bientôt... Au-dessus du mur de miroirs, la pendule indiquait cinq heures passées. Pourquoi Halley mettait-elle un temps fou à la rejoindre ? De combien de devoirs de dessin devait-elle discuter avec sa pseudo-rockeuse ? Elle n'avait donc pas compris que Sofee était passée de mode ?

– Moi je trouve que ça craint un max, déclara une fille de l'autre côté de la rangée de casiers.

Il devait s'agir de Sydney. Avant qu'elles deviennent amies, Avalon la surnommait en secret « caniche à pompons » parce qu'elle jappait comme un chien. Heureusement, la voix haut perchée l'agaçait moins depuis qu'elle avait appris à connaître la capitaine adjointe.

– C'était carrément nul, tu veux dire, renchérit une autre voix qui devait appartenir à Gabby Velasquez. Franchement, j'espère qu'on sera pas obligées de se produire pour les matchs avec cette soi-disant équipe. Sinon on va devenir la risée du terrain de foot.

Avalon se raidit. À l'évidence Sydney et Gabby devaient se croire seules dans les vestiaires. Elle retint sa respiration et écouta.

– On aurait dit que Brianna se démenait comme une bête, non ? s'enquit Sydney à voix si basse qu'Avalon dut tendre l'oreille.

– Comment ça ? demanda Gabby. J'ai pensé qu'elle faisait de son mieux, mais ces nullités ne pigeaient rien.

Des nullités ?

– Je ne sais pas trop, soupira Sydney. Les *Fashion Blogueuses* ont écrit que Brianna n'était pas assez douée pour diriger la nouvelle équipe. Je n'ai pas arrêté d'y penser quand on était sur le terrain.

Hein ? Avalon lutta pour garder son calme alors que son pouls s'affolait. *C'est pas ce qu'on a dit sur le blog...*

– Sérieux ? dit Gabby quasiment dans un souffle. Qu'est-ce qui leur a pris de poster un truc pareil ?

– J'en sais rien, mais tu devrais lire le blog, décréta Sydney, catégorique. Tout le bahut en parle, tu sais...

– Peu importe ! rétorqua Gabby d'un ton brusque. Brianna est une capitaine géniale.

– Je suis d'accord, mais...

Sydney s'interrompit. Avalon avait l'impression de l'entendre haleter. Elle retint sa respiration et colla l'oreille contre un casier pour être le plus près possible de Sydney.

– Rassembler les deux équipes, poursuivait celle-ci, c'est un boulot dément ! Et puis c'est notre premier championnat. Et... enfin, quoi... si Avalon n'avait pas aidé à diriger les gymnastes aujourd'hui, l'entraînement aurait été encore pire...

Houlà... Avalon devait illico quitter les vestiaires avant qu'on s'aperçoive qu'elle jouait les indiscrètes. Elle se glissa à pas feutrés vers la porte et traversa le gymnase. Arrivée dans le hall principal, elle reprit sa respiration normale.

– Ohé ! s'écria une voix familière.

Avalon se retourna pour découvrir Brianna qui se dirigeait vers elle dans le couloir. La capitaine avait les joues écarlates et ses yeux brillaient comme des charbons ardents. Une crise de larmes ?

– Hé, Bree !

– Dis donc, Halley et toi, vous avez filé juste après l'entraînement, sans demander votre reste.

À présent, Brianna paraissait plus animée par la colère que par la tristesse. Avalon ne l'avait jamais vue aussi emportée.

– Mais j'imagine que je devais m'y attendre, puisque t'as permis à Halley de me traîner dans la boue sur votre blog, continua Brianna.

– Quoi ?

Avalon devinait déjà la tournure de cette conversation. Elle en avait suffisamment entendu dans les vestiaires. Toutefois, en bonne fille d'avocats, elle regrettait de ne pas avoir eu le temps de préparer sa plaidoirie pour réfuter les arguments de Brianna.

– Bon, pour commencer, je n'ai pas à *permettre* quoi que ce soit à Halley. Elle est tout à fait indépendante. Où veux-tu en venir au juste ?

– *Avec la bonne personne à la tête de l'équipe*, minauda Brianna en prenant un ton condescendant.

Un groupe de garçons les siffla au passage, mais ils se calmèrent dès qu'ils virent le regard furieux de Brianna.

– Hmm... commença Avalon en essayant de recouvrer son sang-froid. (Mais plus elle tentait de trouver les mots exacts, plus elle trébuchait.) Le truc, c'est que... Enfin, je voulais juste... euh... Halley voulait juste dire à tout le monde de voter pour...

Tout en tirant violemment sur son foulard multicolore au point qu'Avalon craignait de la voir s'étrangler, Brianna lui coupa la parole :

– Et Kimberleigh qui demande devant tout le monde qui est la capitaine, ça rime à quoi ? Elle se tenait comme par hasard juste à côté de Halley. Kim n'est pas du genre à attaquer toute seule, genre pittbull. Halley voulait me rabaisser, c'est clair.

Avalon souhaitait désespérément défendre sa meilleure amie et expliquer à Brianna que c'était précisément grâce à Halley que les gymnastes avaient voté pour la fusion. Mais ça l'aurait obligée à admettre qu'elle avait eu idée de poster ce sujet sur le blog. Pourquoi les élèves l'avaient-ils compris de travers ? De toute évidence, Brianna cherchait une fille à désigner comme sa pire ennemie... et la dernière des choses dont elle – ou l'équipe – avait besoin, c'était d'une bagarre entre pom-pom girls.

– Écoute, Bree, laisse-moi parler à Halley, dit enfin Avalon. Je suis sûre que tout va rentrer dans l'ordre.

– Tu vas le promettre à combien de personnes dans la journée ? rétorqua Brianna d'un ton sec, les lèvres tremblantes et les larmes aux yeux.

Si Avalon ne supportait pas d'entendre ces accusations plus ou moins voilées de complot et de sabotage – alors qu'elles avaient tenté d'apporter leur aide –, ça ne l'empêchait pas d'être soudain touchée par les propos de leur capitaine. Son amie, qui habituellement faisait preuve d'énergie positive, craquait littéralement sous la pression de la catastrophe qui s'était produite aujourd'hui... métamorphosée en une boule de nerfs et d'angoisse qui aurait pu faire la pub pour le Prozac. Autrement dit, pas vraiment ce qu'on attend d'une meneuse digne de ce nom.

– À deux personnes, je suppose, répondit Avalon d'une voix douce, avant de se pencher pour lui presser affectueusement le bras. Et c'est pas des paroles en l'air, Bree. Je vais réellement en toucher deux mots à Halley.

Avalon lui adressa un dernier regard compréhensif, puis elle traversa le hall et sortit dans la cour donnant sur la rue, où elle vit la décapotable Mercedes CLK d'Abigail Brandon garée dans l'allée circulaire. Heureusement, Halley, toujours dans sa tenue d'entraînement, était assise sur la banquette arrière avec Pucci. Avalon poussa un soupir de soulagement et se précipita vers la voiture. Elle n'avait jamais été aussi heureuse de retrouver le visage familier de sa meilleure amie. Cependant, une idée lui traversa l'esprit. Une fille avait voté contre la fusion. Ça ne pouvait pas être Halley, si... ?

Vraies fausses amies

*T*andis que des petites bulles d'écume lui cha-
touillaient les orteils, Halley sentait enfin se dissiper le stress de la journée. Elle contempla le soleil qui
plongeait lentement dans l'océan, et les silhouettes flot-
tantes des surfeurs et des baigneurs de la fin d'après-midi
qui se détachaient sur le ciel bleu gris.

– Enfin seules, dit-elle à Avalon, comme Pucci bon-
dissait et déposait sur le rivage son Puppy Wubba Kong
rose vif.

Halley ramassa le jouet en caoutchouc avant que la
vague ne l'emporte et le lança vers la plage, afin que la
petite chienne aille le chercher.

– Franchement, c'est dingue ce qu'on a vécu
aujourd'hui, déclara Avalon en secouant la tête d'un air
dépité.

– C'est pas fini, figure-toi, répliqua Halley.

– Ah bon ?

Avalon baissa ses lunettes de soleil noires D&G et
dévisagea son amie d'un air intrigué. Puis elle sourit à
belles dents :

– J'hallucine ! Monsieur Huggies !

Halley se tourna pour observer un petit homme chauve devenu une légende de La Jolla – du moins dans l'univers de Hal-Valon – qui courait le long de la grève. Partout où elles allaient, il semblait soudain faire son apparition, toujours pressé mais sans jamais arriver à destination, apparemment. Qu'elles soient à vélo, en voiture avec leurs parents ou en balade sur la plage, il surgissait, dans son vieux short blanc d'athlétisme trop grand, avec ses tennis éculées aux pieds. Même si des années d'exposition au soleil avaient tanné sa peau comme une valise vintage Louis Vuitton, il donnait toujours l'impression d'être une espèce de bébé surdimensionné qui avait besoin de changer ses couches. Après l'avoir aperçu une bonne centaine de fois, Avalon avait décidé de le baptiser « Monsieur Huggies ». Le surnom faisait toujours rire Halley.

– Le roi de la *couche à pied* ! s'esclaffa Halley. Il y avait un petit moment que je ne l'avais pas vu.

– Idem, acquiesça Avalon. Pour un peu, j'étais en manque de bébé joggeur !

Halley partit d'un tel fou rire qu'elle faillit s'étouffer. Elle était bien détendue à présent. Elle prit son amie par la main et l'entraîna vers les falaises découpées, où elles s'installèrent sur le sable fin, jonché d'algues séchées et de bris de coquillages. Elles gloussèrent toutes les deux en regardant Pucci faire ami-ami avec un labrador noir et essayer d'intercepter la balle de tennis qu'un skateur aux cheveux platine lançait sur la plage.

– Notre petite chienne ne rate pas une occasion de draguer, dit Halley, sourire aux lèvres, en inspirant profondément l'odeur apaisante de la plage en fin de journée... douce et salée, ponctuée d'effluves d'huile solaire.

Puis elle se tourna vers sa meilleure amie, jeune Californienne du Sud dans toute sa splendeur, avec ses longs cheveux blonds tombant en cascade sur ses épaules dorées par le soleil.

– OK, toute la journée j'ai essayé de te dire un truc, reprit Halley en jouant avec une poignée de sable. Wade m'a demandé de sortir avec lui vendredi ! lâcha-t-elle d'un coup lorsque Avalon se tourna vers elle. Il a déclaré que je lui plaisais aussi !

– Vraiment ? s'étonna Avalon, qui retira ses lunettes et laissa le soleil couchant miroiter dans ses yeux marron. Qu'est-ce qui s'est passé au juste ? Et quand ?

Les mots s'échappèrent des lèvres de Halley encore plus vite que les grains de sable qui glissaient entre ses doigts.

– Il m'a croisée ce matin et m'a dit qu'il n'arrêtait pas de penser à la soirée, en ajoutant qu'il éprouvait la même chose... et que c'était grâce à toi, parce que t'avais chanté cette chanson et... (Halley s'interrompit, le temps de déglutir)... et j'en reviens toujours pas !

– Hal ! s'exclama Avalon en souriant jusqu'aux oreilles. C'est absolument incroyable, tu te rends compte ?

– Oui, oui...

Halley ramena ses cheveux derrière ses oreilles en écarquillant les yeux.

– Waouh ! renchérit Avalon en plissant les lèvres pour siffler. (Mais comme elle n'avait jamais vraiment su s'y prendre, le bruit qu'elle émit évoquait davantage une

théière cassée en ébullition.) C'est complètement
dément !

À présent qu'elle avait fait sa grande révélation,
Halley sentit de nouveau la nervosité la gagner. Elle avait
certes partagé la bonne nouvelle, mais toujours pas
demandé à Avalon pourquoi elle discutait avec Wade
après l'entraînement. Et elle n'était pas sûre de formuler
la question sans avoir l'air aussi hystérique que Sofee.

– OK, à moi de passer aux aveux... dit Avalon en la
regardant d'un air si menaçant que Halley en eut un pincement au cœur. Je le savais plus ou moins, on va dire...

– Ah bon ? Comment ça... ?

Halley avait quelques doutes. Un jour, Avalon aurait
affirmé avoir fait un rêve prémonitoire... à savoir que les
pantalons taille haute reviendraient à la mode pendant
toute une saison, avant que ceux-ci n'apparaissent dans
les pages de *Teen Vogue*. Pour un peu, elle se prenait
pour Patricia Arquette dans la série *Médium*... Mais
Halley restait sceptique devant ses prétendus dons de
voyance.

Avalon redressa les épaules et mit sa poitrine en valeur
comme un mannequin qui pose en Bikini.

– Quand t'es partie comme une folle et que tu m'as
laissée en plan dans l'allée de brique, Wade m'a carrément abordée pour me poser des tas de questions sur toi.

– Sérieux ? demanda Halley, dont le cœur faisait des
pirouettes pour, finalement, se remettre à battre joyeu-
sement. Qu'est-ce qu'il t'a demandé ?

– Des tas de trucs... ce gars est totalement obsédé par
toi ! (Avalon se livra à sa meilleure imitation de voix de
garçon et enchaîna :) Halley aime quoi, comme fleurs ?
Elle préfère le punk rock ou la pop ? Elle écoute plutôt

Boys Like Girls ou des trucs comme *High School Musical* ? Où est-ce qu'elle aime dîner en ville ? C'est quoi, son film préféré ?

– Sans blague ? dit Halley en se voyant déjà planer avec les mouettes, qui battaient des ailes au rythme de son cœur. Alors t'as répondu quoi ? Et qu'est-ce qu'il a dit encore ?

– Hmm... Motus et bouche cousue ! répliqua Avalon en riant. Sinon ça gâcherait les surprises top secret de ton Roméo !

– Av' ! s'écria Halley en essayant de ne pas paniquer.

– Dis donc, ma vieille ! Peut-être qu'il t'aurait posé ces questions lui-même si t'avais été là. Réfléchis deux secondes... je ne crois pas que c'était moi qu'il venait voir. Et d'abord, qu'est-ce qui t'a pris de partir comme une flèche ?

Aïe ! Halley inspira une grande bouffée d'air marin et replia les jambes vers sa poitrine en les entourant de ses bras.

– Euh... Sofee se comporte bizarrement ces temps-ci.

– De toute manière, elle est imbuvable, ricana Avalon.

Réaction logique. Après tout, Sofee n'était pas sa préférée au collège.

– Non, je t'assure, continua Halley. Le fait est que Sofee et Wade formaient plus ou moins un couple la semaine dernière. Samedi soir, après ton petit karaoké, elle m'a trouvée planquée dans la limousine et m'a avoué qu'ils sortaient ensemble. Mais juste après que Wade m'a demandé de sortir avec lui ce matin, voilà que je tombe sur Sofee qui m'annonce qu'ils viennent de casser.

– Waouh ! Scandale au bahut ! s'extasia Avalon, des étincelles dans les yeux, en battant des mains.

– Aaav'... c'est pas de la rigolade !

– Désolée, dit Avalon. Vas-y, je t'écoute...

– OK... Ce matin, Sofee affirmait qu'elle s'en fichait d'avoir rompu avec lui. Mais tout à l'heure, elle a super mal réagi en voyant Wade discuter avec toi... comme si elle était jalouse ou un truc du genre. (Halley étendit les jambes et se tourna vers Avalon.) Elle a dit que ça la mettait en pétard de te voir le draguer devant moi, puisque tu savais qu'il me plaisait. Mais en réalité... je ne crois pas qu'elle l'ait oublié, comme elle le prétend.

– Attends ! Sofee pense que, moi, je plais à Wade... ou que lui me fait flasher ? demanda Avalon, tour à tour choquée, amusée, et finalement écœurée.

– Ouais ! confirma Halley, sourire en coin, avant de soupirer. Le hic, c'est que j'ignore ce qui va se passer avec Wade.

– Ben quoi... ? Qu'est-ce que t'as envie qui se passe ? s'enquit Avalon en lui prenant fermement la main.

– Je veux sortir avec lui, avoua Halley, dont le cœur battait de nouveau la chamade à l'idée de l'événement fabuleux qu'elle vivait. Sa petite amie à plein temps, tu vois. Dès notre première rencontre, j'ai senti que ça pouvait coller entre nous. Mais quand j'ai découvert qu'il sortait avec Sofee, j'ai compris tout à coup l'origine de l'expression : *avoir le cœur brisé*. Je t'assure que j'ai eu *physiquement* mal au cœur !

Halley contempla la plage. Le ciel s'assombrissait, mais quelques personnes profitaient encore des derniers rayons de soleil. Pucci avait découvert un plan d'eau laissé par la marée et pataugeait gaiement avec un petit gamin roux tout frisé, accompagné de ses parents.

— J'aimerais juste savoir si on est vraiment faits l'un pour l'autre, avant que Sofee découvre qu'on sort ensemble, dit Halley d'une voix posée.

— Eh ben alors, fonce ! l'encouragea Avalon en lui pressant la main et en la regardant droit dans les yeux. Va à ton super rendez-vous de vendredi et tu verras si ce garçon mérite que tu t'angoisses autant !

— Mais si Sofee éprouve encore des sentiments pour lui ? gémit Halley, qui gardait en mémoire les paroles de son amie rockeuse après l'entraînement. Je ne veux pas briser le « code d'honneur de l'amitié », elle m'en voudrait à mort.

Avalon plissa les yeux tandis qu'elle cherchait visiblement une solution objective au problème : son attitude classique en pleine cogitation.

— OK, j'ai un plan ! s'écria-t-elle soudain. (Il ne manquait plus que l'ampoule électrique au-dessus de sa tête, comme dans les BD.) Je vais détourner l'attention de Sofee.

— C'est-à-dire ? demanda Halley, dont le visage se rembrunit.

— Facile ! Elle croit déjà que Wade craque pour moi. Alors je vais faire semblant de flasher sur lui chaque fois qu'elle est dans les parages. Si elle m'entend m'extasier sur lui ou me voit en sa compagnie comme aujourd'hui, ça va tellement la perturber qu'elle ne soupçonnera jamais qu'il s'intéresse à toi.

— Mais, hésita Halley, ça ressemble à de la... comédie.

— Non, c'est du génie, insista Avalon. Comme ça, tu

auras tout le temps qu'il faut pour te retrouver en tête à tête avec ton éventuelle... âme sœur.

– Hmm...

Halley tressaillit à l'idée de faire de la peine à Sofee. Mais Avalon avait raison. Si Wade avait rompu avec Sofee, Halley n'y pouvait rien, non ? Et Halley craquait pour lui bien avant de savoir que Sofee sortait avec lui. Et puis, peut-être que Sofee était vraiment passée à autre chose... et...

– Dis oui, bon sang ! reprit Avalon, tout excitée, en l'arrachant à ses tiraillements. Tu ne brises absolument pas le « code de l'amitié » avec Sofee, puisqu'elle me déteste déjà. J'augmente à peine la dose... pour qu'elle me déteste encore plus !

– T'es cinglée, dit Halley en pouffant.

Comme d'habitude, Avalon avait concocté un plan tellement absurde qu'il en devenait logique. Elle haussa ses sourcils clairs, visiblement satisfaite d'elle-même.

– OK, ça marche ! accepta Halley, tout sourire. On se lance !

Même si sa meilleure amie avait des idées loufoques, c'était formidable de se retrouver toutes les deux. Elles se comprenaient comme personne. Comment avaient-elles pu survivre, ne serait-ce qu'un jour, sans se voir ?

– À mon tour, maintenant, dit Avalon.

Elle se leva et appela Pucci. La petite chienne courut vers elle, tenant le Kong couvert d'algues gluantes dans la gueule.

– Allons bon... quoi encore ? hasarda Halley en prenant Pucci, pleine de sable et de sel, dans les bras.

Elle n'était pas très sûre de pouvoir en supporter davantage.

– Brianna s'en est plus ou moins prise à moi après l'entraînement, annonça Avalon.

– Tu rigoles ou quoi ? répliqua Halley, qui n'avait pas vraiment besoin d'une raison supplémentaire de détester Brianna. Qu'est-ce qui s'est passé ?

– Ben j'imagine qu'elle a compris de travers ce qu'on a écrit dans le blog, expliqua Avalon en roulant des yeux. Elle a cru qu'on essayait de la rabaisser ou je sais pas quoi... alors qu'on tentait vraiment de la soutenir.

– Mais c'est ridicule, dit Halley en grattant Pucci derrière les oreilles. Elle ne s'est même pas rendu compte que grâce à nous tout le monde ou presque a voté pour la fusion ?

– Visiblement, non, fit Avalon, qui se rassit et croisa les jambes. En plus, j'ai entendu Sydney dire que Brianna n'était peut-être pas à la hauteur...

Classique ! La propre adjointe de Brianna qui doutait des aptitudes de la capitaine. Halley sourit, mais Avalon paraissait attristée.

– Et maintenant Brianna s'est mis dans la tête que t'avais peut-être voté contre la fusion... et que c'est toi qui aurais poussé Miss Piggy à demander une nouvelle capitaine, révéla Avalon en tripotant une mèche de ses cheveux.

– Quoi ? J'ai voté oui ! Et Kimberleigh est intervenue toute seule ! Même si ça ne me dérangerait pas de voir Brianna dégringoler de son piédestal.

– Mais qui pourrait la remplacer ? s'enquit Avalon en écarquillant les yeux.

– Ben... euh... Pourquoi pas toi ? déclara Halley d'un ton pince-sans-rire.

Au début, elle plaisantait, mais en y réfléchissant elle jugeait sa proposition pleine de bon sens. Après tout, Avalon avait de l'expérience dans les deux équipes. Et puis ce serait tellement plus sympa si elle dirigeait le groupe.

– Sans rire... tu serais une bien meilleure capitaine.

– Pas question, trancha Avalon fermement. Je ne pourrais jamais faire un truc pareil. Si par malheur Brianna perdait sa place de chef, ça la tuerait.

Halley voyait bien le regard horrifié de son amie, mais elle y décelait aussi une étincelle... qui ne demandait qu'à être attisée pour se transformer en véritable feu d'artifice !

– Alors laisse-moi te présenter un autre plan de génie ! lança Halley en se passant une langue avide sur les lèvres, tandis que mille et une hypothèses défilaient dans sa tête. Puisque tu vas faire mine d'attirer Wade pour détourner l'attention de Sofee... et que Brianna croit d'ores et déjà que je cherche à la rabaisser...

– Non ! Tais-toi ! s'écria Avalon, alors que ses yeux lançaient des éclairs signifiant : *Je suis tout ouïe... continue, s'il te plaît !*

Halley sourit à belles dents.

– Av', je vais juste agir comme si j'étais toujours opposée à l'idée de devenir pom-pom girl... Cela dit, ça ne me demandera pas trop d'efforts. Je vais ignorer Brianna, foirer les enchaînements et défier le code de conduite de l'équipe à chaque occasion. Et toi, tu prendras la défense de Brianna pour me forcer à rentrer dans le rang. Ensuite, au moment de voter pour notre nouvelle capitaine sans peur et sans reproche, je proclamerai que t'es la mieux qualifiée pour toutes nous faire gagner le championnat !

Halley devait bien l'admettre : malgré tout, elle était un peu excitée par cette compétition... sinon pour elle-même, en tout cas pour Avalon. Celle-ci secoua la tête comme pour protester, mais Halley connaissait trop bien son amie. Avalon adorait se sentir indispensable. Et Halley ne demandait pas mieux que de jouer le jeu.

– L'équipe a besoin de toi, voyons ! Qu'est devenue la machine de guerre Avalon Greene ? s'écria Halley, qui se leva d'un bond et la mit au défi de faire la course avec elle.

Pucci aboya et partit en tête en se précipitant au bord de l'eau. Les cheveux de Halley flottant dans la brise du soir, Halley piqua un sprint, portée par son enthousiasme qui lui donnait des ailes. Juste au moment où ses muscles commençaient à fatiguer, elle sentit Avalon l'attraper par-derrière en tirant sur son sweat-shirt lavande, et toutes les deux s'écroulèrent sur le sable.

– OK, j'accepte ! dit Avalon tandis qu'elles récupéraient à terre, en haletant plus fort encore que Pucci. Il y a juste un problème...

– Lequel ? demanda Halley, qui se redressa sur les avant-bras en se tournant vers elle.

– On ne peut plus être copines, décréta Avalon. Pas en public, du moins.

– Pourquoi ? s'enquit Halley, se disant que sa meilleure amie devait comme toujours noircir inutilement le tableau.

– Parce que, expliqua Avalon, si tu t'attaques vraiment à Brianna, je vais devoir la soutenir. Et si je drague effectivement Wade, tu devras réconforter Sofee et être super en rogne contre moi... ce qui veut dire, ajouta Avalon dans un frisson, qu'on doit devenir de *vraies fausses* ennemies.

– Waouh !

Halley secoua la tête d'un air grave. Elle comprit combien il serait difficile de faire semblant de détester la personne à laquelle elle tenait le plus au monde. Puis elle s'assit et regarda Avalon droit dans les yeux :

– Attends, Av', ça dépasse carrément la perfection ! On peut même l'annoncer sur notre blog ! On va dire qu'on n'est plus copines... *Encore une fois...*

– Ce sera pas non plus la surprise du siècle, intervint Avalon.

– ... et ensuite, c'est reparti pour les supporters de Halley d'un côté et ceux d'Avalon de l'autre, et on peut même se déchaîner l'une contre l'autre à tour de rôle, ajouta Halley en riant. Ça va être génial !

– Euh... j'ai comme l'impression que t'es un peu trop excitée par cette idée, non ? dit Avalon, sincèrement inquiète.

– C'est juste parce que lorsque je me déchaînerai contre toi, tu sauras qu'en réalité ce sera pour ton bien... et vice-versa. On va faire mine de se chamailler en public, et on sera les seules à savoir pourquoi. Notre secret va rendre le duo Hal-Valon plus exclusif que jamais !

Pour la première fois depuis que Wade lui avait révélé ses sentiments, Halley se retrouvait sur son petit nuage. C'était tellement mieux qu'une campagne de pub pour les *Fashion Blogueuses* ! Elle observa Avalon, qui réfléchissait une dernière fois à tout ce qu'elles avaient décidé, et vit l'euphorie scintiller dans ses yeux marron. Même Pucci semblait frémir d'enthousiasme. Halley savait qu'à toutes les trois rien ne pouvait les arrêter. Inséparables, toujours prêtes à s'amuser comme des folles... quitte à se montrer plus rusées que les autres.

Les Fashion Blogueuses

TOUJOURS CHIC ET JAMAIS TOC !

Quand l'automne détonne !

Posté par Halley, le mercredi 1er octobre à 7 h 03 du matin

OK, les fashionistas, finie la rigolade : le duo Hal-Valon s'est officiellement SÉ-PA-RÉ. Comme l'écossais et les rayures, le noir et le marron, les sandales et les socquettes... Séparément, c'est la classe... mais ensemble, c'est le clash ! Bien sûr, on ne va pas en faire un plat, car ce blog s'adresse surtout à VOUS... Et vous y trouverez toujours les meilleurs conseils mode.
Maintenant, parlons un peu de l'automne : des journées plus fraîches, des feuilles d'arbres aux couleurs éclatantes, et de la farandole de vêtements qu'on ne peut pas mettre en été... à condition de ne pas prendre trop au sérieux les soi-disant tendances de la saison. En guise de pense-bête, voici mes trois tenues d'automne qui détonnent :

1. Les jambières. Vous rigolez ou quoi ? Ça craignait déjà quand nos mères en portaient. C'est pas un hasard si elles se sont démodées après la sortie de *Flashdance*. Les mitaines ? LIMITE... dans le meilleur des cas. Seule une vraie rockeuse peut se permettre ce genre de look.

2. Le short moulant. Le truc le plus horrible et le moins sexy qui puisse exister, même sur un podium de défilés. Croyez-moi sur parole.

3. Les spartiates. Désolée, les filles, mais cette mode a tout juste duré le temps d'un été. Et l'été est fini, alors rendez-les à Spartacus ou à Russel Crowe, et passez à autre chose. OK, à Rome il faut vivre comme les Romains. Mais vous savez quoi ? Vous n'êtes *PAS À ROME* ! Pfft !

Alors, pigé ? C'est pas parce que *Teen Vogue* affirme que c'est une tendance *lourde* qu'il faut la suivre comme une *gourde*. Sinon votre pseudo look *trash-chic* vire au look *tragique*... Alors, pitié pour mes yeux !

Soyez glamour avec humour,

Halley Brandon

COMMENTAIRES (76)

MDR ! Bien vu pr les spartiates ! BEURK. Celles qu'Avalon porT l'aut' jour étaient totalement hors Czon. Encore 1 truc : l'ékip Avalon est juste bonne à faire le grd écart. ;-)
Posté par sexygirl le 1/10 à 7 h 19.

WOW ! G le cervo ki explose avec vous 2, les filles ! 1 coup, ça passe, 1 coup ça casse. Zêtes scandalicieuses, moajdis ! Mais chuis fan de Halley. Ce post est trop cool ! J'adore T conseils mode. Le short moulant, ça craint Cvère. BEURK !
Posté par look_d_enfer le 1/10 à 7 h 28.

75

Lâche-toa, ma chérie ! Avalon ça rime avec faux-jeton.
J'savais que tu le Dcouvrirais 1 jour... À La Jolla, tt le monde
fait la hola pour Halley !
Posté par primadonna le 1/10 à 7 h 31.
T'en as pas marre du look ringard ? short moulant + jam-
bières = look super ! Avalon, C trop BON ! Halley, C DmoD !
Posté par bravissima le 1/10 à 7 h 39.

Blog à part

— Après cet exercice, déclara Mlle Frey à la classe, j'espère que vous aurez compris, comme tout journaliste digne de ce nom, que l'originalité d'un article se définit non pas par les faits qu'il décrit... mais par le point de vue qu'il présente.

Assise à son bureau dans le pavillon du journalisme, Halley écoutait leur prof supersophistiquée expliquer la différence entre idées nouvelles et angle nouveau. Ex-stagiaire à la rédaction du magazine *Elle*, Mlle Frey y avait bu, paraît-il, des cappuccinos en compagnie de Marc Jacobs et de Donatella Versace, et elle servait depuis toujours de modèle à Hal-Valon. Toutefois, depuis qu'elle avait disqualifié le duo du concours du cybermagazine, ce n'était plus pareil en cours. À présent, même si elle méritait largement un Top avec son carré de cheveux châtains qui effleurait ses épaules, ses lunettes Prada aux montures sombres et sa robe porte-feuille à damiers vert anis griffée Diane von Furstenberg, Mlle Frey avait perdu de son attrait.

Comme si ça ne suffisait pas, en guise de punition pour s'être affrontées par blog interposé pendant le concours, Halley et Avalon s'étaient vues rétrogradées de rédactrices à secrétaires de rédaction. Le job le plus ingrat dans la presse, surtout s'il consistait à relire et corriger les prétendus « articles » rédigés par Margie et Olive, qui ne rataient pas une occasion d'humilier Halley et Avalon. Histoire de leur rendre la monnaie de leur pièce, Avalon avait suggéré d'ajouter un peu de drôlerie dans les rubriques du blog Info-Santé. Margie et Olive ne tarderaient donc pas à remarquer les... comment dire ? améliorations... apportées à leur prose.

– Alors, pendant que je file me chercher un café tout frais, tâchez d'apporter une certaine fraîcheur à la relecture des articles de demain, conclut Mlle Frey. Et profitez-en pour réfléchir à la manière dont vous pourriez les améliorer en y ajoutant de l'insolite, du surprenant.

Les chaises raclèrent le sol dans le brouhaha qui suivit, puis les doigts pianotèrent fébrilement sur les claviers, tandis qu'une boule de papier rose atterrissait sur la tête de Halley. Elle lança un regard mauvais à Avalon, de qui venait évidemment l'attaque. L'étape numéro 1 du conflit Hal-Valon organisé dans les règles de l'art consistait à s'affronter ouvertement au collège, afin de présenter la nouvelle image publique du duo. Et le cours de cyberjournalisme offrait une occasion idéale. Mais les yeux d'Avalon signifièrent à Halley qu'elle lui avait envoyé un vrai message. Halley ramassa donc la boule de papier, puis la défroissa. Sur la feuille rose, deux insectes à l'air triste étaient dessinés – l'un était grand et maigrichon, l'autre petit et potelé – avec en légende :
MARGIE & OLIVE : LA DANSE DES CAFARDS !
Halley n'eut pas le temps d'éclater de rire qu'un atroce

bruit de sabots traînant sur le parquet ciré assaillit ses clous d'oreille Tiffany.

– Hé, les *Fashion Blogueuzzzz* ! lâcha Margie d'une voix sifflante comme un serpent à sonnette (ce qui allait à merveille à cette grande perche aux yeux verts et au teint blafard). Notre article est prêt, vous pouvez vérifier nos infos.

– Tiens, salut ! J'ai failli ne pas vous reconnaître sans vos tenues de microbes ! pouffa Avalon en se glissant derrière le bureau, à côté de Halley.

Celle-ci réprima son fou rire et froissa en boule le message dans sa main. Elle lança un regard faussement irrité à son amie.

– Tu peux rigoler autant que tu veux, reprit Margie d'un air hautain en se tournant vers Avalon, on sait que t'es jalouse.

– Exact ! approuva Olive en parfaite complice qui jouait les perroquets.

– Oh... et épargnez-nous vos commentaires, cette fois, OK ? persifla Margie. On a des délais à respecter et pas le temps de corriger vos remarques d'incultes.

– T'as l'air d'insinuer que si votre dernier post était nul, ce serait ma faute ? Vous feriez mieux de vous en prendre à vous-mêmes... ou bien à elle, répliqua Avalon en désignant Halley d'un air dégoûté, tandis qu'elle décochait un regard meurtrier à Margie.

Halley concentra toute sa rage à l'encontre d'Olive et de Margie en lâchant un « Pfft ! » indigné en direction de sa meilleure amie.

– Elle n'insinue rien, rétorqua Olive, son appareil dentaire à la Ugly Betty accentuant ses grosses lèvres de mérou. Elle vous dit seulement de lever le nez de vos revues *people* et de vérifier les infos, au lieu d'essayer de transformer nos articles en une réplique des papotages minables qui vous servent de blog !

Halley rongea l'ongle violet de son petit doigt pour éviter de répliquer un truc qu'elle risquait ensuite de regretter. Mais Avalon préférait la confrontation aux tics nerveux.

– T'es tellement à côté de la plaque, ironisa-t-elle en rajustant d'un geste agressif son tee-shirt rose moulant qui affichait : *ÉQUIPE AVALON*. (Halley appréciait de voir sa meilleure amie jouer le jeu jusque dans ses choix vestimentaires.) En plus, les seuls trucs qui méritent d'être lus dans votre blog Info-Santé ridicule, c'est nos petites infos marrantes.

– Les infos ne sont pas marrantes – ni même de vraies infos – quand on les invente de toutes pièces ! riposta Margie, dont le casque de cheveux bruns menaçait de se décoller du crâne.

– C'est censé vouloir dire quoi ? demanda Avalon, des paillettes dorées étincelant de colère dans ses yeux marron.

Halley aurait volontiers mis son grain de sel, mais elle se régalait trop de voir Avalon à l'œuvre. En outre, elle ne pouvait pas vraiment la soutenir en public.

– Laisse-moi te traduire ça en termes clairs, Miss Accro-du-Shopping ! cracha littéralement Olive, dont l'appareil dentaire scintillait sous les lumières du plafond. Seule une fille qui s'intéresse plus à la mode qu'à réduire la pauvreté irait ajouter un encadré « People » à un important dossier sur l'épidémie mondiale de méningite !

– Perds pas ton temps avec elle, Olive ! aboya Margie en flanquant deux feuillets tachés de café sur le clavier de l'iMac d'Avalon, et deux autres pages tout aussi maculées sur celui de Halley. On a des vies à sauver !

Avalon ricana, tandis que Margie et Olive tournaient les talons pour aller vers le présentoir à revues, au fond de la salle, sans doute afin d'y dénicher le dernier numéro de *Hargneuses Bazaar.*

David Cho – frère cadet de Brianna et rédacteur de la rubrique Loisirs au cybermag du collège – lâcha un « Bravo ! » en direction d'Avalon, tout en continuant de pianoter comme un fou sur son clavier. Avalon grimaça un sourire en plissant le nez pour le remercier de son soutien. Halley aurait aimé la féliciter aussi, mais elle devrait attendre qu'elles se retrouvent seules. Alors, plutôt que de vérifier les infos au sujet d'un article sur une maladie qui avait disparu quasiment à l'époque des perruques poudrées, elle ouvrit les hostilités... tout comme elles l'avaient décidé d'un commun accord la veille au soir.

– Chapeau ! lança-t-elle d'un ton hostile. Je t'avais bien dit qu'on n'aurait pas dû toucher à la rubrique.

– Oh, ça va... répliqua Avalon. C'est toi qui voulais qu'on ajoute Lindsay Lohan et Ashlee Simpson, sans expliquer pourquoi.

– Oh non, c'était ton idée ! s'énerva Halley.

– Un problème, les filles ? intervint Mlle Frey, debout au-dessus de Halley et d'Avalon.

Plus ennuyée que vraiment en colère, elle but une gorgée de son café dont la vapeur embua ses lunettes. Halley n'avait même pas vu la prof revenir dans la salle.

– Oh... euh... non, bredouilla-t-elle. Désolée, made-moiselle Frey. On essayait juste de trouver une manière novatrice de parler de la mononucléose.

– Eh bien, dans ce cas, je vous laisse travailler ! dit Mlle Frey, qui sourit et regagna son bureau.

Halley sortit son crayon rouge préféré pour la correction, plus convaincue que jamais qu'une fausse querelle en public permettrait de consolider le duo Hal-Valon pour de bon. Tandis qu'elle commençait la lecture du papier de Margie et Olive sur les risques de transmission de maladies en cas de mise en commun d'objets usuels, elle fut tentée de barrer tout l'article d'un grand X rouge.

Après tout, plus Avalon et elle partageaient de choses, plus elles devenaient indestructibles. Le genre d'info qui méritait un véritable article de fond... sauf que ça devait rester confidentiel entre *Fashion Blogueuses*.

Les Fashion Blogueuses

Crimes fashionnels

Posté par Halley, le jeudi 2 octobre à 7 h 13 du matin

Ça vous est déjà arrivé d'enfiler une tenue en la jugeant tout à fait portable, puis de passer plus tard devant un miroir en vous écriant : « Aaargh ! L'horreur ! Comment j'ai pu sortir de chez moi avec *ça* ? » Si ça se trouve, vous pensiez peut-être qu'un tee-shirt moulant avec votre nom placardé sur votre généreuse poitrine serait une bonne idée... jusqu'à ce que vous entendiez ricaner dans votre dos. Quoi qu'il en soit, le fait est que vous vous retrouvez d'un seul coup victime et coupable de ce crime *fashionnel*. Alors que faire ? Trois solutions s'offrent à vous :

1. Courez vous mettre à l'abri. Foncez vers les toilettes les plus proches, enfermez-vous dans une cabine et n'en sortez pas avant la tombée de la nuit... Auquel cas la pénombre ambiante constituera le camouflage idéal pour votre transgression vestimentaire. Une stratégie particulièrement utile pour les accros du bronzage, qu'on distingue mal dès le crépuscule.

83

2. Allez-y franco. Chaussez vos lunettes noires grand format, coiffez-vous d'un chapeau (profitez-en pour cacher les mèches « coup de soleil » que votre coiffeur a ratées), et faites comme si vous étiez une star qui *cherche* à se faire de la pub en passant dans la rubrique Fautes de goût de votre magazine de mode préféré.

3. Prévenez les Urgences. Sérieux. Composez le 911 et appelez au secours. (Car le bon goût n'attend pas !) Ensuite allongez-vous par terre le temps que l'ambulance arrive. À tous les coups, les gens auront pitié de vous. Ils feront moins attention à votre tenue ringarde s'ils pensent que vous êtes encore plus mal en point que celle que vous avez enfilée par accident.

Attention ! Un faux pas vestimentaire et vous trébuchez, mais on vous pardonne. Deux, c'est que vous cherchez les ennuis. Mais au bout de trois ? On vous laisse tomber...

Soyez glamour avec humour,

Halley Brandon

COMMENTAIRES (76)

MDR !!! J'en revenais pas de voir l'aut' Fashion Blogueuse porT ce t-shirt hier. Elle voulait épaT la galerie ? Ben y aV pas de koi. Franchement, C T pas flatteur du tout !
Posté par hot_kouture le 2/10 à 7 h 22.

La Fashion Râleuse se déchaîne ! J'adooore ! J saV kvous étiez mieux Cparées. MDR !
Posté par princesse_rebelle le 10/2 à 7 h 31.

ÉviT de vs claquer la bise pr vs réconcilier, les filles. Clikez ici et vs aurez ttes les infos sr la contagion ds le blog Info-Santé de Margie & Olive.
Posté par grenouille_de_labo le 2/10 à 7 h 34.

Date : Jeudi, 2 octobre, 7 h 37
De : Halley Brandon <hallyeah@yahoo.com>
Pour : Wade Houston <deadromeo13@gmail.com>
Sujet : Salut ;-)

Hello,

Dsolée si GT pas dispo. C T la folie, cette semaine. Sinon,
G eu ton message. OK pr la Cucaracha dmain.
G hâte !

@+
Hal

PS : Pas bsoin d'en parler aux autres... pas encore en tt
cas. Surtout pas à Sofee ! (T'irais pas lui dire, j'imagine ? ;-)

Allô Houston ? On a un problème...

*J*e me suis régalée, p'pa, dit Halley.

Elle acheva sa dernière bouchée de lasagnes aux cinq fromages en sauçant son assiette avec un morceau de pain complet, puis s'essuya la bouche du dos de la main.

– Tu devrais auditionner pour *America's Next Top Chef*, suggéra-t-elle.

– Hé, la fashionista ! se moqua Tyler. Tu confonds avec *America Next Top Model*. L'émission culinaire s'intitule *Top Chef* tout court.

– Peu importe, souffla Halley en levant les yeux au ciel, avant de lorgner avidement une goutte de sauce tomate dans l'assiette de son frère, qu'elle s'empressa de récupérer en y passant le doigt.

– Dis donc, si tu continues à te goinfrer comme ça, va falloir t'inscrire pour *Le Grand Perdant* ! gloussa Tyler en projetant une tache sur son tee-shirt *I enjoy my Gameboy* déjà maculé de ketchup.

– Oh, mais ce sera difficile de battre le détenteur du titre, c'est-à-dire toi, ironisa affectueusement Halley.

– Si vous devez vous insulter, les enfants, intervint

Abigail, qui tenta de prendre un air sévère, faites preuve d'imagination et évitez la téléréalité.

– Il était temps d'imposer ta loi, ma chérie, approuva Charles, qui sourit à sa femme en la dévorant des yeux comme si elle était un top-model.

Elle aurait pu en être un, somme toute, avec sa robe à bretelles Michael Stars bleu cobalt et ses longs cheveux auburn noués en une queue-de-cheval lâche. Elle avait la peau si douce, des yeux si clairs et ourlés de cils tellement longs que tout maquillage se révélait superflu.

– Continuez vos querelles et vous allez faire... la vaisselle, menaça Abigail en haussant ses sourcils délicatement arqués, juste au moment où le carillon de la porte d'entrée retentit.

– J'y vais ! s'écria Halley, qui bondit de sa chaise.

– Non, c'est moi ! lança Tyler en la bousculant pour se ruer vers la porte d'entrée en verre dépoli qu'il ouvrit à la volée.

Halley le rattrapa et se pencha sur le côté pour voir qui avait sonné.

– Sofee... ?

L'amie de Halley se tenait sur les marches en ardoise grise du perron, son Beach Cruiser rouge posé contre le mur. Avec son petit bustier anthracite en maille, sa mini-jupe en jean noir délavé et ses ballerines argentées, elle n'était pas franchement équipée pour une balade à vélo dans l'air frisquet du soir.

– Salut Hal, renifla Sofee, les yeux rouges et gonflés. T'es occupée ?

– Oh... euh... hésita Halley en se tournant vers la salle à manger où Tyler rejoignait leurs parents. M'man ? cria-t-elle.

88

– Oui, ma puce ?

– Sofee est passée me voir. Je peux vous aider à débarrasser plus tard ?

– Bien sûr ! Aucun souci !

Halley entraîna Sofee dans l'escalier et toutes deux gagnèrent sa chambre, où elle s'assit sur le tapis rond orangé posé au milieu du parquet tandis que Sofee s'affalait dans le siège-poire en daim marron clair placé dans l'angle. Avant même que Halley puisse lui demander ce qui n'allait pas, les larmes se mirent à couler sur le visage de son amie. Et aussitôt, les petits reniflements se transformèrent en sanglots. *Qu'est-ce qui avait pu se... ?* Sofee restait muette. Jusqu'ici Halley avait aidé Avalon dans ses moments de déprime, mais cette fois c'était différent. Elle n'en revenait pas de voir sa rockeuse préférée craquer littéralement sous ses yeux. Et c'était l'ex de Wade par-dessus le marché. *Plutôt bizarre, non ?*

Halley se leva et s'empara de la boîte de Kleenex sur sa table de nuit pour la tendre à Sofee. Elle avait lu dans *CosmoGIRL !* de septembre qu'en présence de copines en crise, les petits gestes attentionnés pouvaient se révéler plus utiles que des paroles.

– Merci, dit Sofee avant de se moucher dans un bruit de trompette.

Halley s'était toujours demandé comment les gens avec un anneau dans le nez pouvaient éternuer sans se blesser, mais elle jugea le moment sans doute mal choisi pour poser la question.

– Dé... dé... désolée, bégaya Sofee entre deux sanglots, je suis complètement en vrac.

– T'en fais pas pour ça, dit Halley, qui se rassit sur son tapis.

Comme Sofee relevait la tête pour grimacer un sourire gêné, Halley songea que le moment était enfin venu de lui demander de quoi il retournait – ce qu'elle fit.

– Wade et moi, on s'est engueulés comme du poisson pourri à la répète, expliqua Sofee, les lèvres tremblantes. Je l'ai accusé d'avoir créé les Dead Romeos uniquement pour pouvoir draguer des Barbie aux bazookas siliconés.

Tout en évitant de glousser, Halley se releva et s'assit à son bureau. Elle alluma l'une des bougies Voluspa parfumées que les Mam's avaient offertes aux filles l'an passé, à l'occasion de Chrismukkah *. Elle huma la douce senteur d'agrumes qui se répandait dans la pièce et espéra que cela aiderait Sofee à se détendre.

– Bien sûr, il a répliqué que c'était faux, poursuivit Sofee d'un ton amer, avant de se sécher les yeux et de jeter le mouchoir en papier dans la poubelle orange posée un peu plus loin.

– Mais je croyais que tu étais passée à autre chose, reprit Halley d'une voix douce, en lissant du bout des doigts ses cheveux bruns ondulés.

– Je suis passée à autre chose ! insista Sofee en appuyant sur chaque mot. Mais les gars sont tellement abrutis, tu sais... Et Wade met en danger tout l'avenir de notre groupe.

– Oh... fit Halley en se calant dans son fauteuil-œuf.

CosmoGIRL ! suggérait aussi de poser des questions plutôt que de faire des suggestions. En la poussant dans

---

* *Chrismukkah* : mot-valise inventé aux États-Unis afin de célébrer entre chrétiens et juifs, au sein de la même famille ou d'un groupe d'amis, à la fois *Christmas* (Noël) et *Hanukkah* (la fête des Lumières) qui ont lieu quasiment au même moment. *(N.d.T.)*

ses retranchements, elle aiderait vraiment Sofee à comprendre ce qu'elle éprouvait au juste. Ça n'avait rien d'égoïste. Halley s'en persuada, en tout cas.

– Mais en quoi ça peut gêner le groupe que Wade soit attiré par des Barbie ? Est-ce qu'Evan et Mason lui en veulent d'avoir rompu avec toi ?

– Je ne suis même pas sûre qu'ils savaient qu'on était ensemble, répondit Sofee en se dirigeant vers la porte qui donnait sur le balcon. Dans le passé, des tas de groupes ont pourtant explosé à cause d'une bimbo venue semer la panique alors qu'ils étaient sur le point de réussir, ajouta-t-elle en regardant par la fenêtre. À croire que Wade a des œillères, ma parole !

– Hmm...

Halley se sentait vaguement nauséeuse. Sofee était-elle sérieuse ? Si elle disait vrai, Halley devenait-elle la bimbo de service dans l'histoire ? Et pourquoi Sofee ne s'était-elle pas inquiétée des risques de séparation du groupe, quand deux de ses membres sortaient ensemble ?

Malgré elle, Halley s'interrogeait sur la véritable nature du problème : la cohésion du groupe ou les sentiments de Sofee pour son ex ?

– Sinon, euh... à mon niveau, qu'est-ce que je peux faire ? s'enquit-elle.

– Tu sais quoi, Hal ? dit Sofee en s'avançant vers elle, la tête haute.

Dès qu'elle parvint au fauteuil-œuf, elle se pencha sur Halley comme si elle voyait à travers sa tête... un peu comme Wade le faisait parfois, et ajouta :

– Tu l'as déjà fait ?

Mince ! Elle est au courant.

– Ah bon ? s'enquit Halley, prudente.

– Ouais, reprit Sofee en se pavanant façon mannequin jusqu'à la porte du balcon, avant de virevolter. Je crois bien que c'est la première fois que j'ai une amie comme toi, je veux dire... quelqu'un qui me comprend et me soutient à fond. Chaque fois que j'ai un coup de bourdon, je repense à tous les bons moments qu'on a passés au stage d'arts plastiques, et à la manière dont tu nous as toujours encouragés, aussi bien moi que les Dead Romeos et... enfin, je sais pas, quoi... (Sofee baissa les yeux, l'air gêné.) Je suis contente de pouvoir me lâcher comme ça devant toi.

– Oh là là, Sofee...

Halley était époustouflée. Elle voulait serrer son amie dans ses bras pour la protéger de tous les garçons susceptibles de lui faire du mal. Elle était si impressionnée par cette fille incroyablement douée, plus mûre que les autres, toujours très cool, qu'elle n'avait jamais songé à tout ce qu'elle-même représentait pour Sofee. Même Avalon ne se livrait pas comme ça. Peut-être que c'était un truc d'artiste. Les musiciens se révélaient tellement... passionnés. Mais avant que Halley puisse confier à Sofee combien elle attachait de l'importance à leur amitié, quelqu'un les interrompit :

– Hé, les filles !

Halley et Sofee se tournèrent vers l'entrée de la chambre, où venait d'apparaître Tyler. Il avait troqué son tee-shirt taché de ketchup contre une chemisette rétro en noir et blanc avec le prénom *NORM* brodé sur la poche poitrine.

– Ça vous dit, une partie de bowling ?

Sofee adressa un regard mi-interrogateur, mi-amusé à Halley.

92

– Tyler vient d'avoir une Wii et il fait une légère fixette sur le bowling... Mais ça ne m'a pas empêchée de le battre, précisa Halley en souriant à belles dents.

– Euh... je m'appelle Norm, rectifia Tyler, en désignant sa poche.

– Oh, désolé... *Norm*, gloussa Halley.

– Eh ben... ravie de faire ta connaissance, Norman ! lança Sofee en recouvrant sa bonne humeur. Et j'adore le bowling... surtout les godasses.

– Alors, mate ces petites merveilles ! répliqua Tyler, qui se jeta sur le lit de sa sœur et leva les jambes pour exhiber son affreuse paire de chaussures en daim rouge et noir.

– J'hallucine ! Ty... euh, pardon... Norm, tu crois pas que tu pousses un peu ? s'écria Halley dans un éclat de rire, même si les chaussures se révélaient atrocement originales.

– Hal, le bowling, c'est plus qu'un simple jeu, expliqua Tyler, pince-sans-rire. C'est un style de vie.

– J'ignorais que la console Wii devinait le genre de pompes que t'avais aux pieds, intervint Sofee en écarquillant les yeux d'un air innocent.

– Bon, les godasses sont pas vraiment obligatoires, admit Tyler en balayant ses mèches brunes rebelles qui retombaient sur ses yeux. Mais ça rend le jeu beaucoup plus réel. Comme si t'étais sur la piste, en train de faire des strikes et d'écraser tous tes potes !

À l'évidence, Sofee se retenait de pouffer.

– Et franchement, continua Tyler tandis qu'il palpait son avant-bras et gonflait ses muscles inexistants, mon biceps droit prend du volume.

– C'est sûr ! fit Sofee en s'étranglant de rire, comme

elle s'adossait à la porte vitrée. On m'a dit que c'était génial pour la gonflette. Mais il y a un truc qui m'intrigue... Est-ce que t'as *Guitar Hero* sur ta console ?

– Non, pas encore, avoua-t-il, vaincu, sous le regard faussement compatissant de sa sœur. Mais c'est en tête de la liste de jeux à me procurer.

– Eh ben, dès que tu l'as, je viens y jouer et je t'écrabouille comme un rien tous les jours, prévint Sofee en brandissant son bras fluet dans un tintement de bracelets.

– T'as intérêt à faire gaffe, Norm, renchérit Halley, sourire aux lèvres. C'est pas une menace en l'air.

– Oooh, je tremble déjà ! fit Tyler, pendant qu'il se prenait la tête dans les mains en faisant mine d'avoir peur.

– Bon, ça t'ennuierait d'aller trembler ailleurs ? répliqua sa sœur. Après tout, Sofee n'est pas venue me voir pour faire une partie de jeux vidéo.

– Et le bowling alors ? gémit Tyler.

– Plus tard, Norm... décida Halley en le tirant hors du lit.

– C'est promis... ? implora-t-il tandis que Halley lui fermait la porte au nez.

– C'est promis ! cria-t-elle en se retournant vers Sofee qui regardait à nouveau par la fenêtre.

– Hé... t'attends quelqu'un d'autre ? demanda-t-elle en ouvrant la porte coulissante pour sortir sur le balcon, lequel courait tout le long de la maison ultra-moderne et offrait une vue panoramique sur la rue.

– Euh... non, répondit Halley, qui sortit derrière elle à pas de loup et regarda par-dessus son épaule.

Houlà ! Wade était à vélo et roulait tout droit vers chez elle ! Tandis que Sofee continuait à observer la rue, Halley revint en catimini dans sa chambre, saisit son téléphone mobile sur le bureau et envoya un SMS urgent à Avalon : *911 ! Sofee ici Wade dehors !* Par chance, elle pianotait plus vite que son ombre.

Regarde ton mobile... Grouille-toi, bon sang... Halley plissa les paupières et se concentra au maximum pour transmettre d'intenses vibrations à sa voisine, tandis qu'elle ressortait discrètement sur le balcon. Mais Wade s'approchait de la maison de Halley... Ce n'était plus qu'une question de secondes... Comment allait-elle expliquer ça à Sofee ? Décidément, on aurait dit qu'un panneau *BIENVENUE AUX DEAD ROMEOS* avait poussé depuis une heure sur sa porte d'entrée !

– Wade ! s'écria la voix d'Avalon dans l'air du soir, assez fort pour que tout le quartier en profite.

Elle sortit sur son perron et dévala les marches quatre à quatre, tandis que Wade allait passer devant l'allée des Greene.

Sofee retint son souffle. Halley aussi. Toutes les deux se penchèrent au maximum par-dessus la rambarde. Halley se réjouit soudain des talents de comédienne de sa meilleure amie. Car celle-ci lui offrait un numéro qui méritait de décrocher l'Oscar de la meilleure actrice. À la lueur des réverbères, Halley vit un sourire aguicheur se dessiner sur les lèvres d'Avalon. Elle l'entendait glousser et roucouler. Pour un peu elle en serait devenue jalouse. Mais elle était surtout fière de son amie.

Finalement, Avalon se pencha, planta une bise sonore sur la joue de Wade, puis recula en secouant avec coquetterie ses longs cheveux blonds et agita la main pour lui dire au revoir alors qu'il s'en allait. Tout en le regardant s'éloigner, elle conclut sans effort son petit manège en lui envoyant un baiser.

– Waouh ! fit Sofee, stupéfaite, en tournant les talons pour rentrer dans la chambre.

Halley s'arma de courage pour affronter la suite – un festival d'injures ou une crise de larmes façon chutes du Niagara – et lui emboîta le pas.

– Au fait, t'as commencé le projet d'aquarelle pour le cours d'arts plastiques ? s'enquit Sofee avec désinvolture, alors qu'elle récupérait sa besace de l'armée près du siège-poire avant de se diriger vers la porte de la chambre.

– Oh, euh... hésita Halley, interloquée. (Sofee n'allait donc faire aucun commentaire sur ce qu'elles venaient de voir ?) Non, je ne suis pas douée avec les pinceaux, tu sais. Je suis plus branchée dessin.

– Moi, c'est pareil, dit Sofee avec un petit sourire forcé, tout en lissant quelques mèches violettes dans ses boucles brunes. Mais je ferais peut-être bien de m'y mettre.

– Ouais...

Halley raccompagna son amie sur le palier, puis au rez-de-chaussée jusqu'à la porte d'entrée.

– J'ai pas trop la tête à faire mes devoirs, mais... d'une manière ou d'une autre, va bien falloir que je m'y attelle aussi.

– J'imagine..., dit Sofee dans un haussement d'épaules.

Ses yeux étaient de nouveau tristes. Toutefois, les larmes avaient cédé la place à un sentiment d'échec.

– Sofee... reprit Halley en posant une main hésitante sur l'épaule nue de son amie.

Pas question pour elle de conclure la visite comme ça, alors que Sofee s'était confiée à elle, sans parler de la scène dont elles avaient été témoins.

– Tu ne veux pas qu'on discute de ce qui vient de se passer sous nos yeux ? insista-t-elle.

– Si, répondit Sofee. Bien sûr. Mais faut d'abord que j'y réfléchisse. Et toi aussi, je suppose.

– Oh... OK, alors.

Halley ouvrit la porte et regarda Sofee s'éloigner en poussant son vélo sur le trottoir.

– En tout cas, fais-moi signe si t'as besoin de quoi que ce soit, OK ? lui cria Halley.

– Pas de souci ! lança Sofee en se remettant en selle.

À la minute où le vélo disparut au coin de la rue, Halley remonta à toute vitesse dans sa chambre et téléphona à Avalon.

– Waouh ! fit-elle dès qu'Avalon décrocha. J'ai rien pigé à tout ça, mais merci !

– Oh, je t'en prie... (Halley l'imaginait en train de sourire à l'autre bout du fil). Je me suis amusée comme une folle !

– Bon, alors... qu'est-ce qui s'est passé au juste ? demanda Halley, qui s'affala sur son lit, se disant qu'elle serait mieux installée pour entendre la suite.

– Eh ben ton chanteur raide dingue de toi espérait t'inviter à une partie de jeux vidéo, gloussa Avalon. Mais je lui ai dit que t'étais en ville, à une expo, en train de regarder des photos de guitares pour lui !

Halley souffla bruyamment en secouant la tête. Elle aurait voulu se précipiter chez sa copine pour la serrer dans ses bras. Courir chez Wade et l'embrasser. Mais aussi rattraper Sofee et s'assurer qu'elle allait vraiment bien.

Le fait que Wade soit venu chez Halley à l'improviste prouvait combien il avait envie de passer du temps avec elle, non ? Mais alors, si Sofee était venue la voir, visiblement perturbée... ça signifiait qu'elle tenait toujours à lui ? Halley n'en savait trop rien. Elle était sûre d'une chose, en revanche : Avalon avait officiellement lancé l'opération Vraies fausses amies. Impossible de faire machine arrière, à présent.

Les Fashion Blogueuses

TOUJOURS CHIC ET JAMAIS TOC !

Rock'n'Mode !

Posté par Avalon, le vendredi 3 octobre à 7 h 26 du matin

Hé, regardez ! C'est mon premier post depuis notre séparation qui a provoqué un buzz d'enfer sur le Net et au collège. Désolée de ne pas être passée faire un coucou depuis deux ou trois jours ! En tout cas, pendant ma brève absence de la blogosphère, j'ai réalisé que je devais remercier mon ex-meilleure amie, car elle m'a fait découvrir que la musique pouvait drôlement inspirer la mode. J'ai totalement pigé le truc maintenant, alors voilà pourquoi le look rock peut quand même mériter un Top :

1. La provoc, c'est chic et choc ! C'est vrai. Si vous piquez vos idées fashion sur MTV, vous pouvez quasiment tout porter en affirmant que c'est « d'avant-garde ». Gothique, punk, androgyne, même le look glamour années 50. Faites-en des tonnes, pourvu que ça détonne !

2. Le tee-shirt graphique, c'est grave chic ! Faire la pub pour votre groupe préféré, c'est TOP cette saison. En fait, le look concert, c'est toujours branché... et plus c'est classique, plus c'est classe *et* chic (si c'est vintage, c'est carrément top classe).

3. Les musicos, c'est trop chicos ! Et je ne parle pas des fanfares de lycée. Mais si le garçon joue d'un instrument ou chante dans un groupe, il mérite un Top... même en costume blanc et cravate ficelle. Soyez honnêtes, les filles ! Les Jonas Brothers vous rendent hystéros, mais s'ils troquaient leur guitare contre une Nintendo DS Lite, vous leur tourneriez le dos !

À plus tard, les rocks stars... ;-)

P.S. : J'espère vous voir toutes au prochain concert branché. Je noterai les tee-shirts baby doll les plus rock'n'roll !

Bon shopping,

Avalon Green

COMMENTAIRES (89)

Tu te la joues cool, ma poule ? Y a qlqs semaines, tu DnonC la rock'n'roll héBtude. Soit tu T fait greffer 1 cerveau, soit tu bidonnes à mort... ou alors T rien d'aut' qu'1 voleuse de mec. Le coup du cerveau, j'y crois pas. Sans déc. BOYCOTTEZ l'ÉQUIPE AVALON ! ELLE EST BIDON !
Posté par rockgirrl le 3/10 à 7 h 34.

J'arrive pas à savoir si tu rigoles ou pas. Y a certains musiciens & mêm D groupes hyper-lookés, j'trouve... mais la plupart auraient besoin d'1 bon bain. Plsrs fois ! MDR !
Posté par look_d_enfer le 3/10 à 7 h 41.

Dacodac avec rockgirrl. Faux-jeton + Bidon = AVALON !
Dsolé, mais T minable.
Posté par l_esprit_de_jimmy le 2/10 à 7 h 50.

Super ! T'as enfin kompris ke le look rock éT trop klass. Et
si ça Kchait 1 nouvelle rékonciliation pr le duo Hal-
Valon ?? ?
Posté par fashionDiva le 3/10 à 7 h 54.

À fond pour l'équipe !

L a nouvelle équipe de supporters de la SMS se tenait sur la ligne des cinquante mètres du terrain de football américain de la Pacific Middle School, avec une énorme affiche *ALLEZ, LES LIONS !* réalisée par les élèves à l'heure du déjeuner. Une voix de femme d'un certain âge grésilla dans les haut-parleurs pour souhaiter la bienvenue aux Lions. L'équipe de foot de la SMS traversa alors les poteaux de but en courant et rejoignit le milieu du terrain en passant au travers de l'affiche.

– Yeaaah ! Allez, les Lions ! hurla Avalon en exécutant deux ou trois acrobaties. Coulons les Tritons !

– Ouais, c'est ça ! À fond avec les Tritons ! cria Halley. Euh, les Lions... c'est ça ? Enfin, peu importe ! Allez, les footballeurs, quoi !

Elle imita Avalon en massacrant volontairement les mouvements. Puis elle ramassa des bouts de papier de l'affiche déchirée et les fourra dans son tee-shirt comme pour rembourrer son soutien-gorge et rivaliser avec Avalon. Elle se pavana ensuite devant ses camarades en leur lançant à tue-tête :

– Regardez ! Je suis une pom-pom girl maintenant !

– J'hallucine ! T'es une vraie gamine, oui ! s'égosilla Avalon tout en se réjouissant intérieurement de leur petit numéro de folie.

– Gnagnagna ! grimaça Halley en décochant à Brianna un regard assassin des plus convaincants, avant de bondir vers la partie du terrain occupée par les Lions, sous les rires des gymnastes qui la suivaient.

Comme il s'agissait d'un match à l'extérieur, le public de la SMS était plutôt clairsemé : des parents, quelques professeurs et une dizaine d'élèves au plus. Au grand soulagement d'Avalon, peu de gens de son collège pouvaient assister au fiasco des supporters.

– Oh là là, c'est horrible ! s'affola Sydney, les yeux exorbités, en se tournant vers Avalon tandis qu'elles se mettaient en rang et assistaient au coup d'envoi des Tritons. T'entends ce qu'ils disent ?

Avalon tendit l'oreille pour écouter les pom-pom girls de l'équipe adverse et la foule de supporters pousser leur cri de guerre. Un sourire se dessina sur ses lèvres pulpeuses fardées de gloss quand elle comprit enfin ce qu'ils scandaient en chœur :

P-M-S !
Les meilleurs !
P-M-S !
Tous vainqueurs !

– Tu crois qu'ils savent seulement ce qu'ils disent ? répliqua Avalon dans un éclat de rire. La Pauvre Pacific Middle School !

– Et ça, c'est pas une réflexion de gamine, peut-être ! ricana Halley, qui passa devant elle en sautillant.

Avalon continua de faire mine de décocher des regards noirs à Halley... absolument adorable dans sa jupe de tennis bleue et son débardeur jaune or, la tenue provisoire qu'on leur avait fournie avant l'arrivée des uniformes officiels pour le concours. Halley avait découpé le bas de son débardeur, si bien qu'on voyait son ventre ultra-plat dès qu'elle levait les bras. Et elle avait attendu le tout dernier moment pour dévoiler sa tenue customisée... en débarquant d'abord sur le terrain dans un trench-coat gris Marc Jacobs, avec des boots en daim qu'elle troqua ensuite contre ses Nike bleues classiques.

Halley tira la langue, plus peste que jamais, tandis qu'Avalon levait les yeux au ciel.

– Alors vous vous êtes encore séparées ? murmura Sydney, assez fort pour qu'on l'entende.

Avalon se contenta de hocher la tête et de simuler toute la colère qu'elle pouvait puiser en elle. Brianna fit quelques pas en avant et s'écria :

– Prêtes ? OK !

Puis elle attaqua le premier enchaînement. Avalon se lança à fond dans les mouvements en y mettant tout son cœur :

L-I-O-N-S !
Nous sommes les Lions, nous sommes les champions !
Les Lions, les Lions rugiront !
Les Lions, les Lions marqueront !
Les Lions, les Lions vous battront !
Les Lions, les Lions seront champions !
Allez, les Lions !

C'étaient les figures qu'elle avait exécutées en rejoignant l'équipe quelques semaines plus tôt. Ça lui paraissait si loin. À présent, Brianna les entraînait dans une séquence dansée. Avalon avait l'impression d'avoir été pom-pom girl toute sa vie. Malheureusement, ce n'était pas le cas de certaines petites nouvelles. Un peu nerveuse, Avalon observa ses camarades à la dérobée et vit Miss Piggy rater des pas et manquer percuter Halley ; celle-ci réagit en loupant volontairement deux ou trois autres mouvements. Du coin de l'œil, Avalon vit Brianna décocher des regards furieux en direction de Halley. Distraite par les maladresses de Halley, Brianna leva la jambe quelques secondes trop tôt et...

Patatras...

Brianna trébucha sur le pied de Halley et dégringola dans la boue, près du banc des joueurs. Avalon aurait voulu se précipiter pour l'aider à se relever, mais la capitaine avait déjà prévenu l'équipe qu'elles devaient continuer l'enchaînement en dépit de tout ce qui pouvait arriver. Si seulement Brianna pouvait maintenant mettre en pratique ses propres directives. Eh bien non... au lieu de ça, elle restait assise par terre à contempler Halley avec rage.

Lève-toi, Bree ! Lève-toi ! Avalon se sentait atrocement mal pour son amie, tout en s'étonnant de sa lenteur à réagir. Brianna était toujours la chef. Voilà une bonne occasion de le prouver à toute l'équipe... en oubliant son faux pas pour se replonger aussitôt dans l'action. C'était ce qu'Avalon aurait fait, surtout si quelqu'un comme Halley ne respectait pas son autorité. Mais Brianna restait tout bonnement assise par terre.

Juste au moment où Brianna aurait dû se redresser d'un bond et reprendre l'enchaînement, Mitch Bauer, un gars trapu qui jouait en défense, avec des mèches blondes

106

improbables (à la suite d'un pari perdu avec ses coéqui-piers, paraît-il), baissa la tête et se moqua de Brianna en la montrant à ses camarades assis sur le banc. Dans les tribunes de la SMS, personne ne prêtait alors attention au match. Et l'une des filles de la PMS brailla à l'autre bout du terrain :

– Bon voyage ! À l'année prochaine !

Avalon était mortifiée pour son amie... et pour toute l'équipe.

En contemplant sa jupe bleue impeccablement plissée, désormais maculée de traînées marron, Brianna semblait sur le point de fondre en larmes. Avalon savait que l'erreur de Brianna était, du moins en partie, causée par Halley... et par leur pacte secret. Comme elle observait discrètement sa meilleure amie, Avalon fut soulagée de voir que Halley semblait éprouver un semblant de remords. Lorsque l'enchaînement s'acheva enfin, Avalon ne put se retenir davantage.

– Bree, tout va bien ? demanda-t-elle, sincèrement inquiète, en courant vers la capitaine.

Elle tendit la main pour aider Brianna à se relever. Pendant ce temps, les pom-pom girls de la PMS faisaient semblant de tomber en trébuchant les unes sur les autres.

– Ouais, ça va, répondit Brianna, qui s'épousseta en lorgnant toujours Halley d'un œil assassin. Et je ne remercie pas ta meilleure amie !

– Euh... mon *ex*-meilleure amie, rectifia Avalon en fustigeant Halley avec la même ferveur dans le regard.

– Vraiment ? dit Brianna, plantant alors ses yeux dans ceux d'Avalon, tout en resserrant le ruban bleu autour de sa queue-de-cheval.

– Tout à fait, acquiesça Avalon. T'as pas lu notre blog ?

– J'ai plus ou moins décidé de le boycotter, marmonna Brianna en se mordillant la lèvre inférieure.

Avalon ne pouvait guère lui en vouloir. Mais elle se demandait pourquoi Brianna ne décolérait pas. Une vraie capitaine, comme la Bree qu'elle connaissait et appréciait, se serait défendue bec et ongles. En repensant à la semaine écoulée, Avalon se rendait compte qu'elle aurait dirigé la nouvelle équipe fusionnée d'une manière tout à fait différente. Elle ne comprenait pas pourquoi Brianna échouait aussi lamentablement à réunir les deux groupes.

Avalon jeta un regard en direction de Halley et des autres gymnastes qui enchaînaient au hasard pirouettes et cabrioles, et les rappela à l'ordre :

– Allez, les filles ! Tout le monde en ligne !

Puis elle adressa un clin d'œil à Brianna, signifiant *On peut y arriver !*... Brianna fit d'abord la grimace, puis affiche bientôt un sourire épanoui et déterminé. Finalement, à elles deux, Avalon et Brianna dirigèrent l'équipe au complet pour un numéro d'« On est les meilleures ! » qui galvanisa tout le groupe.

Alors qu'elle exécutait un saut, jambes écartées, à un mètre du sol, Avalon eut soudain comme une révélation. À présent, il n'était plus seulement question d'agir au mieux pour l'équipe. Bien sûr, les filles avaient besoin d'elle. Mais Avalon *voulait* devenir leur capitaine. Pour les mener à la victoire. Et avec Halley de son côté, Avalon savait que rien ne pourrait lui barrer la route. Absolument rien !

Chaud devant !

*H*alley descendit de son Schwinn Sierra bleu pâle et guida la roue avant dans le râtelier à vélos en métal. Elle ferma les yeux et prit plusieurs profondes inspirations de yoga, tout en accrochant son cadenas. *Reste calme*, se répétait-elle dans sa tête.

En franchissant l'entrée voûtée de La Cucaracha, Halley sentit l'odeur délicieuse du chili con carne. La musique mexicaine diffusée par les haut-parleurs la mit tout de suite à l'aise. À l'époque où l'établissement n'était qu'un bar à tacos, Avalon et elle venaient déjà y dîner après la gymnastique, avec leurs familles respectives.

– Halley ! s'écria Olivia Martinez depuis le comptoir d'accueil.

La robe bustier en coton turquoise soulignait la beauté exotique de la patronne du restaurant, dont la peau cuivrée miroitait sous la lumière, comme les œuvres d'art en bronze sur les murs.

– *Hola ! Como estás* ? répondit Halley, qui sourit à belles dents pendant que la propriétaire des lieux la serrait dans ses bras.

Les yeux bruns d'Olivia, ronds comme ceux d'une héroïne de manga, brillèrent et elle se lança dans une tirade en espagnol, dont Halley ne saisit pas tous les mots. Elle se borna à hocher la tête, tandis qu'Olivia repoussait ses longs cheveux noirs derrière ses épaules nues et la noyait sous un flot de paroles de moins en moins compréhensibles.

– Waouh, Avalon avait raison, prononça une voix familière non loin d'Olivia.

Halley s'arrangea pour garder son sang-froid lorsqu'elle se tourna et vit les yeux sombres de Wade étinceler dans sa direction.

– T'es une vraie habituée ici, ajouta-t-il.

– Pas seulement, précisa Olivia en lui souriant. Ici, c'est un peu sa deuxième famille.

Wade dévorait Halley du regard avec une telle intensité qu'elle en avait le vertige.

– Dans ce cas, reprit-il, je suis ravi d'être convié en ta demeure.

– *Mi casa es su casa*, minauda Halley pendant qu'Olivia tournait les talons pour aller chercher les cartes.

– *Muchas gracias !* répondit-il, radieux, dissipant ainsi le léger nœud que Halley avait à l'estomac.

– Par ici ! Par ici ! lança Olivia en interrompant leur échange de regards pour les installer dans un box situé près des cuisines, d'où ils pourraient voir la préparation des plats.

Olivia fit un clin d'œil discret à Halley et leva le pouce en signe d'encouragement, puis disparut aussitôt.

– J'adore ta tenue, commenta Wade en dévisageant

110

de nouveau Halley, qui sentit de délicieux frissons le long de son dos.

Elle avait opté pour un look couture cool : tunique Gaultier dans les tons gris et rouge en soie, dont l'encolure bateau laissait entrevoir ses épaules (merci m'man !), portée sur son jean Seven le plus confortable et des bottes en daim Miss Sixty à talons plats.

– Merci, dit Halley, rayonnante. Je te retourne le compliment.

Elle ne mentait pas. Wade avait passé un soupçon de gel dans ses cheveux de jais et portait une chemise écossaise Levi's sur un tee-shirt blanc, avec un jean rouge foncé délavé. Halley n'avait jamais vu quiconque oser cette couleur, mais cette tenue donnait à Wade des allures de rock star.

– Merci, dit-il avant de regarder autour de lui, comme s'il allait lui faire une confidence. C'est dingue, chuchota-t-il, de dîner dans un endroit dont l'enseigne signifie « Le Cafard » en espagnol. À croire que les patrons cherchent à avoir des ennuis avec les services d'hygiène...

– En disant ça, c'est toi qui vas en avoir, non ? répliqua-t-elle en haussant les sourcils d'un air enjôleur, tandis que Joaquim, le neveu d'Olivia, posait sur la table un plateau rempli de tortilla chips encore fumantes, accompagnées de quatre sauces différentes. Essaye la *habañero*, suggéra-t-elle.

– Tu me lances un défi ?

– À toi de voir, répondit-elle en battant de ses longs cils sans le quitter du regard. Alors ?

– *Si señorita !* accepta Wade en redressant les épaules.

111

Puis il entrelaça ses doigts et fit craquer ses phalanges façon macho. Il saisit ensuite une chips et la trempa dans la plus grande des quatre coupelles.

– Euh... ça, c'est la pico, précisa Halley, avant de pointer l'index sur l'une des plus petites coupelles. Celle-ci, c'est la *habañero*.

– Je sais, riposta Wade, impassible. Je voulais juste m'assurer que toi tu le savais.

– Oh, t'inquiète pas... Je suis à bonne école. Mon père est un vrai cordon-bleu.

– Impressionnant ! lâcha Wade, battant à son tour des paupières.

Non seulement il était sexy, mais son ironie le rendait plus craquant que jamais. Après tout, un regard hypnotique, c'était agréable, mais avec le sens de l'humour en plus... *Muy caliente !* Il prit une autre chips, qu'il trempa généreusement dans le petit bol de sauce *habañero*.

– Tu devrais y aller en douceur, suggéra Halley.

– Hmm... tu me crois pas capable de la supporter ? dit-il en faisant une moue exagérée tout en agitant la chips devant ses lèvres.

– C'est pas ce que j'ai dit...

Mais Halley n'eut pas le temps de finir sa phrase que la bouche de Wade engloutissait la chips. Presque aussitôt sa figure devint aussi rouge que son jean.

– Olivia ! s'écria Halley, faisant sursauter une famille dans le box de devant.

De la main, Wade s'éventait le visage qui virait à présent à l'écarlate. Olivia arriva en courant avec une cruche d'eau glacée géante et une coupelle de carottes coupées en bâtonnets. Wade faillit renverser les couverts de la table en se ruant sur l'eau, qu'il but à même le pichet. Après un petit moment, il essuya ses dernières larmes et poussa un grand soupir.

– Tu rigolais pas, dis donc !

– Non, jamais avec la nourriture, dit Halley tout en fronçant les sourcils d'un air compréhensif. Désolée, je ne voulais pas te faire pleurer à notre premier rendez-vous.

Wade éclata de rire.

– J'imagine qu'en sortant avec toi, ça va pulser !

Une promesse ?...

Même si Halley mourait d'envie de grimper sur le toit et de crier à toute La Jolla qu'elle dînait en tête à tête avec Wade, elle ne pouvait chasser de son esprit l'image de Sofee en pleurs dans sa chambre. Sofee avait beau prétendre qu'elle était passée à autre chose, elle devait encore tenir à Wade. À moins qu'elle s'inquiète vraiment pour l'avenir du groupe. D'abord elle décrétait que tous les garçons étaient « des abrutis », et l'instant d'après elle paniquait en voyant Wade parler à Avalon. Sofee ne pouvait pas passer de blasée à braillarde en une minute chrono. Bref, les signaux contradictoires de Sofee menaçaient de gâcher la soirée la plus géniale de la vie de Halley, qui devait y remédier... et sans tarder !

– Donc... je ne veux plus te faire pleurer ou quoi que ce soit, reprit-elle avec un petit sourire en coin, tout en portant à ses lèvres un ongle laqué de rouge sombre, avant de poser la main sur la table pour éviter de le ronger. Mais, euh...

– Quoi ?

Le visage de Wade était si beau à la lumière des bougies, d'autant plus qu'il avait retrouvé son teint pâle naturel avec juste un soupçon de couleur sur ses pommettes saillantes et son nez parfait...

– J'ai besoin de savoir ce qui se passe entre Sofee et toi... ou du moins ce qui se passait.

Si elle n'avait pas répété cette phrase depuis le mardi, nul doute que ses nerfs auraient lâché.

– Ah, je vois... dit Wade, qui fixa la table en hochant la tête, puis il regarda de nouveau Halley. Ça n'aurait jamais collé entre elle et moi, de toute manière...

– Pourquoi ?

Même si cette révélation la soulageait, elle devait en savoir davantage. Quitte à briser le code de l'amitié et à sortir avec l'ex de Sofee, autant connaître tous les détails !

– Parce que... hésita Wade en grignotant un bâtonnet de carotte d'un air pensif. Bon... Sofee est géniale, c'est sûr. Mais on fait partie du même groupe rock. Et on doit rester pro avant tout. Et puis... (Il se pencha et prit la main de Halley.)... à la seconde où je t'ai vue, j'ai senti que ça collerait entre nous.

Oh là là... Respire... se dit Halley.

– Je regrette simplement de pas t'avoir rencontrée avant elle.

¡ Ay, caramba !

À mesure qu'elle l'écoutait parler, Halley sentit ses doutes se dissiper. Elle non plus n'avait pas oublié sa première rencontre avec Wade dans les couloirs du collège. Le courant était aussitôt passé entre eux.

Plus Halley pensait à l'autre soir, plus elle en déduisait que Sofee avait dû faire son deuil de la relation avec Wade. En fait, son amie paraissait davantage se soucier de ce qu'éprouvait Halley après avoir vu Wade et Avalon ensemble. Et Wade, à l'évidence, préférait sortir avec une fille extérieure à son groupe. Aucun risque par conséquent de provoquer la séparation des Dead Romeos. En définitive, ce ne serait peut-être pas si difficile de dire la vérité à Sofee ! Mais c'était Halley, et non pas Wade, qui devait la mettre au courant.

– OK, alors... bredouilla Halley, sidérée de la rapidité avec laquelle la situation évoluait. Euh... on peut attendre un peu avant de dire à tout le monde qu'on est ensemble... enfin, si on l'est vraiment, je veux dire ?

Wade eut l'air aussi désarçonné que Tyler lorsqu'elle parlait mode. Ou célébrités. Ou culture populaire en général. Il hocha malgré tout la tête, ce qui suffit à Halley. En outre, toutes ces émotions lui avaient ouvert l'appétit.

Le reste du repas se déroula comme le meilleur premier rendez-vous de l'histoire des premiers rendez-vous. Ils discutèrent musique (Wade n'en revenait toujours pas que la mère de Halley ait travaillé avec autant de groupes musicaux chez Capitol Records) ; de la famille de Wade (son père enseignait à la fac, sa mère était journaliste, et son petit frère, Johnny, qui venait de fêter ses quatre ans, aspirait à devenir le prochain soliste des Wiggles *) ; et de ce qui manquait le plus à Wade depuis leur départ de San Francisco pour s'installer à La Jolla (surtout les copains de son premier groupe musical... Les Penta-

---

* Groupe de chanteurs australiens très populaire dans les pays anglo-saxons, spécialisé dans les chansons pour enfants. Voir *Meilleures Ennemies*, tome 1. *(N.d.T.)*

mètres iambiques). Quand ils achevèrent leur dîner, Halley était repue d'enchiladas, de sauces diverses et variées... et d'amour. Wade était si génial ! Et bourré de talent. Et gentil. Et intelligent. Et drôle. Bref, la totale ! C'était indéniable. Ils allaient former le couple le plus adorable de la SMS. Ils se révélaient si parfaits l'un pour l'autre que ça en devenait presque effrayant.

Après que Wade eut réglé l'addition (*Tout pour plaire, décidément !*), ils saluèrent Olivia et sortirent sur le parking. Halley entraîna Wade vers le garage à vélos. Elle se pencha ensuite pour détacher son cadenas et se sentit de nouveau un peu déboussolée. Allait-il l'embrasser pour lui souhaiter bonne nuit ? La serrer dans ses bras ? L'inviter à le raccompagner jusque chez lui, quelques rues plus loin ? Tout à la fois... ou rien du tout ?

– Bon... dit Wade en souriant d'un air penaud.

– Ouais, fit-elle en se mordillant la lèvre. Tu n'as plus la bouche en feu, au fait ?

– Tu veux vraiment le savoir ? répliqua-t-il en haussant ses sourcils bruns d'un air enjôleur.

Mince ! Halley rougit en réalisant qu'elle le draguait sans le vouloir. Mais apparemment Wade aimait les filles qui faisaient le premier pas... il s'approcha d'elle.

Ne tombe pas dans les pommes ! Concentre-toi. On y arrive. Le baiser ! Le baiser !

Hé, Hé ! Toi, toi ! j'aime pas ta petite amie ! hurla Avril Lavigne quelque part au fond du sac de Halley.

Bon sang, j'hallucine !

Wade faillit s'affaler sur le vélo, tandis qu'elle virevoltait pour empoigner son sac et y dénicher son téléphone.

– Oh... euh... excuse... dit-elle en l'observant du coin de l'œil, avant de porter son regard sur l'écran de son mobile.

Qui pouvait interrompre ainsi l'instant le plus romantique de son existence ?

Un texto d'Avalon :

Comment s'passe ton rendez-vous avec Wade ? ;-)

Il se *passait* bien... Tu ne pouvais pas plus mal tomber ! ;-(

Les Fashion Blogueuses

TOUJOURS CHIC ET JAMAIS TOC !

Restez cool sous la canicule !

Posté par Avalon, le samedi 4 octobre à 9 h 39 du matin

Incroyable ! Qui pourrait croire que c'est l'automne avec cette chaleur qui menace encore de nous griller comme des toasts dans notre superbe ville de La Jolla. Du coup, je me suis dit qu'il était temps de vous refiler quelques tuyaux pour rester à l'aise, sans suer à grosses gouttes, dans une tenue de saison. Je sais que ça relève du défi, mais pas de panique ! Voici ma liste des bons et des mauvais plans :

BON PLAN : vérifiez l'heure avant de sortir. Les journées sont peut-être aussi torrides qu'un concert des Dead Romeos, mais il peut faire frisquet en soirée. Alors n'oubliez pas de porter des vêtements légers en superposant les couches, et de toujours prévoir un truc en plus après le coucher du soleil. (Vous avez oublié votre petite laine ? C'est le moment de vous trouver un petit ami ! ;-)

MAUVAIS PLAN : le total look blanc. Vous risquez d'être tentée de vous cramponner aux couleurs estivales, mais c'est pas une bonne idée du tout. On n'a pas l'impression d'être en automne, mais il n'empêche que le blanc est interdit de séjour dans votre garde-robe jusqu'au printemps (sauf si vous portez vos blancs *d'hiver*... mais il faudra attendre la saison prochaine, OK ?).

BON PLAN : les sandales. Certaines trouvent peut-être les spartiates hors saison, mais c'est juste parce qu'elles sont pressées d'enfiler leurs horribles bottines. Scoop du jour : il fait encore trop chaud pour les bottes, et les spartiates vont super bien à tout le monde. (Enfin, presque. Toutes mes plus plates excuses à une *certaine* Fashion Blogueuse égarée dans le cyberespace !)

MAUVAIS PLAN : la transpiration. Si vous portez des manches longues en pleine canicule, c'est que vous cherchez les ennuis. Traduction : les auréoles sous les aisselles c'est Hyper Beurk !

Passez un bon week-end, les filles. Je sens qu'il va être torride. Dans le bon sens, bien sûr. ;-)

Bon shopping,

Avalon Greene

COMMENTAIRES (92)

MDR ! J'me suis éclatée en te lisant. AVALON, C + FUN ! Posté par radio-potins le 4/10 à 9 h 51.

T trop drôle pr être vraie. Lire ton blog m'a donné la pêche pr la journée. Et je V suivre T conseils. Merci. ;-) Posté par blaguapart le 4/10 à 9 h 59.

Les bottes st Gniales en tte Cson, moajdis. Mêm en ÉT, s'il fait pas trop cho, L peuvt transformer 1 vieille tenue soûlante en look d'enfer. Et quitte à y aller franco, pr 1 blogueuse ki se veut à la pointe, T plutôt à la ramasse. Posté par Vogue_a_l'âme le 4/10 à 10 h 17.

Yeaaah ! T'as trop raison pr les bottes, Av. Genre celles que porT cette fille avec sa tenue de pom-pom girl ! G cru halluciner ! Sans parler du trench-coat zarbi et de son débardeur kouP à la taille ! Atroce. N'importe koi. NULLISSIME !
Posté par super_bon_plan le 4/10 à 10 h 22.

Vraie fausse meneuse

e soleil entrait à flots par les baies vitrées du coin-repas de la cuisine des Greene et miroitait sur le carrelage espagnol. Avalon se tenait devant le plan de travail en granit sombre et employait toute son énergie pour battre des œufs dans un grand saladier, pendant que son père, Martin, faisait frire du bacon sur la cuisinière Viking et que sa sœur Courtney, âgée de seize ans, pressait des oranges sur la planche à découper.

– Vas-y doucement avec ces pauvres œufs ! intervint Constance tandis qu'elle posait la main sur le bras de sa fille, tout en souriant d'un air de dire : « Je plaisante », avant de trancher un melon pour le plateau de fruits, de l'autre côté de l'évier.

– Elle a de qui tenir, répliqua le père d'Avalon en riant. Il suffit de voir comment sa maman malmène les délinquants au tribunal !

Il glissa un petit morceau de bacon croustillant dans la gueule béante et vorace de Pucci, dont le frétillement de la queue passa en mode turbo. Avalon soupira bruyamment en levant les yeux au ciel.

– Tout comme le fait son papa ! lança Constance par-

121

dessus son épaule en agitant son impeccable carré platine pendant qu'elle coulait un regard tendre en direction du père d'Avalon, grand, brun et un peu naïf.

– Coucou ! Moi aussi je suis juriste ! gémit Courtney en couvrant le bruit du presse-agrumes.

– Oh, s'il te plaît. Avec toi, plaidoirie rime avec parodie, riposta Avalon en lançant un regard noir à sa sœur, parfaite réplique de sa mère en plus jeune avec son jogging en velours ras kaki et ses cheveux blond blanc qui lui arrivaient aux épaules.

– Avvy, du calme, menaça Martin, les sourcils broussailleux en accent circonflexe, tandis qu'il brandissait sa spatule comme le marteau d'un juge.

– Merci, papa ! répliqua Courtney en gratifiant son père d'un sourire radieux qui se transforma en grimace lorsqu'elle se retourna vers Avalon

Sa cadette allait lui renvoyer la balle quand la sonnette de l'entrée retentit.

– Ça doit être Brianna, annonça Constance en rajustant son débardeur en maille écrue.

– Ouf ! soupira Avalon. Sauvée par le gong.

Elle se rinça les mains, les essuya, puis se rua dans le vestibule.

– Salut, Bree ! s'écria-t-elle, sourire aux lèvres, comme son amie franchissait la porte en bois sculpté. Le brunch est presque prêt.

– Waouh, ça sent drôlement bon ! s'extasia Brianna en repoussant ses longs cheveux noirs en arrière. Du bacon... ?

– Ouais ! répondit Avalon en l'entraînant par la main vers la cuisine.

Mais Brianna la retint :

– On peut se parler deux secondes ? demanda-t-elle, à l'évidence moins enthousiasmée par le repas qu'elle ne le laissait croire. En privé, je veux dire ?

– Pas de problème, acquiesça Avalon, avant de la détourner vers l'escalier en bois qui menait à sa chambre.

– Qu'est-ce qui se passe ? s'enquit Avalon en s'installant sur le tabouret recouvert de velours bleu pâle, devant sa coiffeuse ancienne.

Pourtant, elle avait sa petite idée, après la dégringolade de Brianna au match de vendredi.

– J'ai le moral... euh... en chute libre, avoua Brianna, assise bien droite sur le banc en acajou, capitonné de satin or, au pied du lit d'Avalon.

Elle tripota une bretelle de son débardeur rouge à dos nageur, tout en martelant nerveusement la moquette blanche de la pointe de ses Nike.

– L'épisode du match m'a carrément mortifiée, ajouta-t-elle. Tout le monde se moquait de nous... enfin... de moi !

– Oh, Bree... commença Avalon en nouant ses cheveux blonds en queue-de-cheval sur la nuque. Je sais que tout ne s'est pas déroulé comme il faut, mais...

Brianna lui coupa aussitôt la parole :

– Comme il faut ? Je dirais plutôt que c'était un désastre humiliant !

Visiblement écœurée, elle enchaîna :

– Aucune des gymnastes ne savait ce qu'elle faisait, et quand j'essayais de les recadrer, elles ne pigeaient pas... ou bien faisaient semblant de ne pas piger.

– Écoute, reprit Avalon en tapotant les manches de son sweat-shirt rose à capuche, ça fait quelques jours à peine que les deux équipes ont fusionné. Les choses vont bientôt s'arranger. Tu crois pas ?

– M'enfin, toi t'as tout de suite pigé le truc, gémit Brianna. Tu t'es fondue aussi sec dans le nouveau groupe. Et il ne nous reste que deux semaines avant le concours. Alors chaque jour compte.

– Ah, mais tout le monde n'est pas une pom-pom girl née, comme moi ! ironisa Avalon dans un vif mouvement de tête qui dénoua ses cheveux. (Elle sourit pour que Brianna comprenne qu'elle plaisantait. Enfin, presque.) T'as bien précisé à Halley que c'était pas de la rigolade, je veux dire ?

– Ouais, mais j'ai vraiment l'impression qu'elles pourraient devenir de bonnes pom-pom girls. Le hic, c'est que... je pense que Halley essaye encore de saboter mon boulot !

– Nooon, la détrompa Avalon en plissant le front. Elle s'est toujours comportée en gamine vis-à-vis des pom-pom girls. Les supporters, tout ça... c'est pas son truc.

– Comme si je m'en étais pas rendu compte ! Mais c'est pire encore. Elle me déteste. Je crois même qu'elle pourrait postuler comme capitaine, rien que pour me faire enrager !

– Ben ça, en tout cas, ça risque franchement pas d'arriver, observa Avalon.

Elle ne put s'empêcher de rire à l'idée de voir Halley en chef des pom-pom girls.

– J'en sais trop rien, soupira Brianna. Enfin, j'espère ne pas passer pour une fille tordue... mais je me demandais si tu pouvais pas trouver un moyen pour que les gymnastes arrêtent de copier Halley ? Et peut-être... euh... t'assurer qu'elle se fasse pas élire capitaine ?

– Oooh, Bree...

En voyant son amie aussi perturbée – et aussi inquiète à propos de son statut –, Avalon avait presque envie de demander à Halley de tout arrêter et d'agir désormais comme si elle tenait vraiment à ce concours. Cependant, si Brianna avait été une capitaine digne de ce nom, elle n'aurait pas craqué si facilement sous le poids des difficultés. Elle aurait essayé elle-même de faire rentrer Halley dans le rang, plutôt que de solliciter Avalon, non ?

– Je me sens tellement mal, là, maintenant !

Brianna tenta de sourire, mais deux grosses larmes roulèrent sur ses joues d'albâtre. Manifestement gênée, elle s'empressa de les essuyer du dos de la main.

– Oh, Avalon ! Qu'est-ce qui m'arrive ?

Devant une telle détresse, Avalon sentit sa gorge se nouer. Elle vint s'asseoir auprès de son amie et lui frotta affectueusement le dos.

– Bree... ce concours est une occasion d'enfer, et entraîner toute l'équipe pour qu'elle soit au top de sa forme, c'est une sacrée responsabilité. C'est normal que ça te prenne la tête.

– Si c'était que ça... sanglota Brianna. Je me sens carrément bonne pour l'asile !

– Alors, écoute-moi bien, déclara Avalon, qui se ressaisit pour éviter les pleurnicheries en duo. Faut juste que tu sois ferme avec les gymnastes. Tu dois montrer que c'est toi qui commandes et qu'elles ont intérêt à se tenir à carreau. Mets-les au défi de devenir les meilleures pom-pom girls possibles... encore meilleures que nous deux... Et surtout... ne t'abaisse pas à leur niveau !

– Ah bon ?

La tristesse cédait à présent la place à la détermination dans les yeux brillants de son amie.

Avalon se sentait elle aussi remontée à bloc. Quelques semaines plus tôt, c'était Brianna qui l'avait inspirée dans son comportement, mais maintenant Avalon détenait toutes les réponses. À vrai dire, elles souhaitaient toutes les deux remporter le concours, avec la bonne personne à la tête de l'équipe. Bien sûr, Brianna pensait correspondre au profil, mais elle allait bientôt découvrir qu'Avalon convenait davantage au groupe issu de la fusion. Tant que Halley ne mènerait pas la danse, Brianna se réjouirait d'avoir une solide capitaine à la tête de l'équipe... Non ?

La croisière s'amuse

Avalon balaya de ses yeux marron la flotte rutilante de yachts privés, amarrés le long du quai du San Diego Bay Club. Les bateaux dansaient gaiement dans l'eau bleue, comme s'ils étaient aussi excités qu'elle par cette croisière au coucher du soleil. Car celle de ce soir n'avait rien à voir avec la balade en mer que les Greene et les Brandon faisaient souvent ensemble. Dans l'esprit d'Avalon, c'était une sorte de remix de la Fiestamitié gâchée que Halley et elle avaient organisée le samedi précédent. L'occasion de fêter tous les bons moments de la semaine écoulée et la réconciliation du duo Hal-Valon, plus solide que jamais.

– Quelle soirée idéale pour une promenade en bateau, soupira Constance en se pelotonnant dans les bras de Martin.

Elle se tenait assise sur le banc à côté de ses filles, et le bas de sa robe caramel en mousseline flottait dans la brise légère qui soufflait sur la baie.

– Avec deux familles soûlantes à bord, la soirée promet d'être nulle, ricana Courtney en frappant le talon de sa sandale contre le bois de l'embarcadère.

– Comme si t'étais la grande spécialiste des soirées, remarqua Avalon en agitant fièrement sa queue-de-cheval.

– Je suis allée à des tas de fêtes, figure-toi ! riposta Courtney. Une bonne dizaine d'anniversaires pour les seize ans de mes copines... y compris le mien, même que les gens en parlent encore !

– Parce que c'est moi qui ai tout organisé ! ironisa Avalon.

Au large, des phoques qui se prélassaient sur une bouée grognèrent au même moment, comme pour approuver Avalon.

– Ouais, bien sûr... dit Courtney en roulant des yeux. Ma soirée reste mémorable parce qu'il y avait une centaine d'invités, disons... et c'est pas grâce aux bouquets de fleurs et aux nappes que t'avais choisis.

– Du calme, les matelotes ! aboya Martin dans une mauvaise imitation de Robin Williams.

Il vouait une admiration sans bornes à l'acteur comique, dont le DVD de *Popeye* repassait régulièrement sur le lecteur familial.

– Ouais ! approuva Avalon en fusillant sa sœur du regard.

En fait, elle détestait donner raison à son père quand il tentait – en échouant lamentablement – de faire de l'humour.

Pourquoi les parents ne sont jamais drôles quand ils se croient irrésistibles ? se demanda-t-elle en rajustant son bustier en cachemire Ralph Lauren, avant de resserrer son cardigan or pâle sur ses épaules. Avalon retira ses lunettes de soleil D&G pour observer son père, dont les pieds s'agitaient bizarrement comme s'il dansait sur place. Ce fut alors qu'elle repéra Halley et les Brandon. Sa meilleure amie avait réussi l'amalgame entre les looks nautique-chic et rockeuse-cool : elle portait un débardeur rayé noir et blanc, une minijupe en jean gris, et des espadrilles noires.

– Super, ton look ! s'extasia-t-elle pendant que les membres des deux familles s'étreignaient.

– Oh ! Merci, Avvy ! répondit Tyler, toutes dents dehors.

– Pas toi, capitaine naze ! grimaça Avalon en lorgnant le blazer marine de Tyler, sa cravate rouge et son pantalon en toile tout fripé.

Toutefois, la casquette en équilibre précaire sur sa tignasse brune réussit à la faire rire... aux dépens de Tyler ou non, elle ne savait pas trop.

– Hé, tu ferais mieux d'être sympa avec le capitaine, déclara Charles avec gravité, tout en lançant un rapide clin d'œil à Avalon.

Avec son look classique d'éternel surfeur, pull en V et jean délavé, il était tout le contraire de son fils.

– Absolument ! renchérit Abigail dans un battement de cils, souriant en douce à Avalon, comme son mari. Tu n'as tout de même pas envie qu'on s'échoue ?

– Inutile de me défendre, mes adorables parents, intervint Tyler, qui ôta sa casquette et l'agita en faisant cliqueter une ribambelle de petites ancres dorées. Je sais m'y prendre avec Avalon. Mon style fait des envieux, j'ai l'habitude !

Avalon gloussa en roulant des yeux avec Halley, tandis que tout le groupe se dirigeait vers le yacht. Depuis des années, elles avaient accompagné leurs parents à bord de ce bateau, et chaque fois qu'ils mettaient les voiles Halley et Avalon se retrouvaient au même endroit : sous le pont, près des boissons et des amuse-gueules que le personnel du club nautique préparait toujours avant une traversée.

– Alors ! attaqua Avalon, installée avec son amie sur leur canapé en cuir blanc préféré, pour siroter leur habituelle limonade-cerise.

– Alors... sourit Halley, qui se déchaussa et posa ses pieds nus sur la table basse en bois sombre.

– On a plein de trucs à se dire ! reprit Avalon, tout excitée, en regardant le tapis marine décoré d'une énorme ancre blanche.

Elle respira l'odeur appétissante des tartelettes au fromage de chèvre et des rouleaux de printemps au crabe qui flottait dans la cabine, tout en cherchant quel genre d'amuse-gueules convenait le mieux à une discussion entre filles... à propos d'un garçon bien particulier.

– Entièrement d'accord ! pouffa Halley en prenant la cerise au marasquin dans la glace pilée de son verre pour la glisser dans sa bouche. Par quoi on commence ?

Avalon tripota sa queue-de-cheval, incapable de regarder son amie sans se dire qu'elle sortait plus ou moins avec un garçon désormais. Et le duo Hal-Valon dans tout ça ? Est-ce que Halley aurait préféré être avec lui en ce moment, plutôt qu'à bord de ce yacht ?

– Excuse-moi encore pour le texto, lâcha Avalon. (Elle avala sa boisson d'un trait et posa le verre sur un guéridon placé au bout du sofa, près d'une lampe-dauphin en bronze.) Je ne voulais pas interrompre quoi que ce soit.

– Oh, t'inquiète plus pour ça ! grimaça Halley en repoussant ses cheveux bruns en arrière. De toute façon, j'étais super angoissée pour l'éventuel premier baiser, t'imagines ?

– Tout à fait. C'est toujours un peu... délicat, acquiesça Avalon d'un air plein de sagesse.

Non pas qu'elle sache ce qu'était un vrai rendez-vous en tête à tête avec un garçon, et encore moins un vrai baiser. Sa meilleure amie devenait soudain la plus expérimentée.

– Mais tu ne m'as toujours pas donné tous les détails, ajouta-t-elle. Enfin, si t'as pas envie de...

– Avvy, arrête ! T'es ma meilleure amie ! Bien sûr que je vais tout te raconter ! (Mais un nuage éclipsa brusquement son euphorie.) Je... euh... je lui ai posé des questions sur Sofee.

– Non ! J'hallucine ! s'écria Avalon en lui prenant le bras. Tu lui as dit quoi ? Et lui, qu'est-ce qu'il t'a répondu ?

– Qu'il aurait préféré m'avoir rencontrée en premier, déclara Halley d'une voix grave, presque triste, alors que ses yeux bleus pétillaient de fierté. Et que ça n'aurait jamais collé entre eux. Je te jure, Avalon, je crois bien qu'il est... *mon âme sœur*.

In-cro-ya-ble ! C'était géant. Avalon en avait des frissons pour sa meilleure amie. Mais toute cette histoire n'allait-elle pas un peu trop vite ? Ce gars avait quasiment débarqué de nulle part en début d'année scolaire !

– Sinon... vous vous êtes embrassés, caressés... tout ça, quoi ?

Avalon mourait d'envie – mais redoutait un peu – d'entendre les détails croustillants.

– Non, avoua Halley, le regard perdu dans le vague. Il m'a raccompagnée chez moi et tendrement serrée dans ses bras. Et... euh, il m'a effectivement embrassée, mais...

– Sérieux ? l'interrompit Avalon, le cœur battant à cent à l'heure. Pour de vrai ?

– Non, dit Halley en souriant. Juste un bisou, quoi.

– Oooh, fit Avalon en poussant intérieurement un soupir de soulagement.

Que savaient-elles au juste sur Wade, après tout ?

– C'était parfait, conclut Halley en s'approchant du bar, où elle avala l'une après l'autre trois mini-tartelettes au fromage de chèvre. En fait, il aurait pu se passer autre chose et... (Elle essuya ses lèvres à l'aide d'une serviette en papier bleue.) Bref... c'est pour ça qu'il est temps de dire la vérité à Sofee, je crois.

– Vraiment ?

Avalon se sentit rassurée. D'ici deux jours, l'équipe élirait une nouvelle capitaine ; donc, si dans l'intervalle Halley mettait Sofee au courant, le duo Hal-Valon pourrait se reformer publiquement en peu de temps ! Auquel cas peut-être Avalon se sentirait moins bizarre à l'idée que Halley avait un petit ami. Ils pourraient tous traîner ensemble, entre copains et copines... en public.

– Qu'est-ce que tu vas lui dire ?

– J'en sais encore rien, répondit Halley en mordillant un ravioli chinois croustillant. Si je veux foncer avec Wade, faut que j'aie la conscience tranquille. Alors, je dois trouver un moyen de l'annoncer à Sofee... et sans tarder.

– Si on cherchait ensemble ? suggéra Avalon, qui se glissa derrière le bar et farfouilla dans les tiroirs, cherchant de quoi écrire.

Elle reprenait confiance de minute en minute.

– Je vais peut-être devoir aussi limiter les dégâts avec Brianna... après l'élection de mardi, tu sais ?

– Ah, mais c'est vrai ! s'exclama Halley en se claquant le front avec la paume de sa main. (*Comment j'ai pu faire l'impasse sur toi ?*) Ça risque de mal se passer, tu crois ?

– Pas tant que ça, répondit Avalon en continuant à retourner les tiroirs, ravie de pouvoir enfin parler du rôle qu'elle était censée jouer dans leur mission. À mon avis, elle est à deux doigts de réaliser qu'elle n'est pas à la hauteur.

– Sans rire ? Génial ! s'enthousiasma Halley.

– Ouais... C'est super, hein ? dit Avalon avec un sourire de triomphe, un calepin et un feutre noir à la main.

– Ce sera peut-être plus facile qu'on croyait ? reprit Halley en battant des paupières, éblouie par un rayon de soleil qui venait de traverser un hublot.

– Peut-être, dit Avalon dans un haussement d'épaules. Si ça se trouve, Brianna va me remercier de prendre la relève. Et qu'est-ce que Sofee peut bien rétorquer si tu lui annonces que Wade est... ton âme sœur ?

Même si cette pensée effrayait un peu Avalon, elle devait cependant se réjouir pour sa meilleure amie... et pour elle-même, compte tenu de son ascension imminente au sommet de la pyramide des pom-pom girls.

– T'as raison sur toute la ligne ! s'écria Halley en lui arrachant le bloc-notes et le stylo pour les jeter derrière le bar. On n'a plus besoin de plan ! Viens, profitons de la balade !

Elle traversa la cabine en courant et s'élança dans l'escalier.

Avalon secoua la tête, hilare. Elle aussi avait envie de grimper sur le pont afin d'admirer le coucher du soleil. Tandis qu'elle emboîtait le pas à Halley, elle retrouva son humeur festive... Adieu le stress ! Bonjour l'insouciance ! Bien sûr, sa meilleure amie marquait quelques points au rayon « petit copain », mais Avalon était sur le point de devenir pom-pom girl en chef... présidente des supporters de la SMS ! Sur le pont, elle faillit percuter Tyler. Elle défit alors sa queue-de-cheval, s'empara de la casquette du frère de Halley et la vissa sur sa tête. Après tout, dans moins d'une soixantaine d'heures, Avalon deviendrait officiellement capitaine... et à ce moment-là, elle aurait de bonnes raisons de faire la fête !

Les Fashion Blogueuses

TOUJOURS CHIC ET JAMAIS TOC !

Du banal au génial !

Posté par Halley, le dimanche 5 octobre à 9 h 23 du matin

On a beau vouloir conserver un super look en toutes occasions, on est parfois obligées de porter des trucs qu'on n'aurait jamais (pas une seule fois) l'idée d'acheter. Exemples : votre collège vous impose un code vestimentaire assez glauque (dès que je pense aux jupes en laine de l'école St. Mary, ça me donne des boutons !) ; vous devez assister à une réunion de famille un peu guindée (vous avez vu les photos d'une certaine Fashion Blogueuse, boudinée – et pas qu'un peu ! – dans sa robe de demoiselle d'honneur taille douze ans au mariage de sa tante, l'an dernier ?) ; ou bien vous avez un petit boulot après les cours (genre caissière au Roi du hot-dog, voyez ?)... Eh bien, la bonne nouvelle, c'est que vous pouvez malgré tout mélanger les styles et vous singulariser. Voici quelques conseils tip-top pour passer du glauque au glamour :

1. Camouflez. Enfilez une jolie veste ou un maxi-pull qui fait un max d'effet, même s'il vous arrive aux genoux... Bref, gardez l'horreur dissimulée avec goût, jusqu'à ce que vous puissiez vous-même vous planquer derrière un vestiaire...

une caisse enregistreuse... ou encore la sculpture de glace du buffet !

2. Accessoirisez. Chapeaux, foulards, bracelets et colliers... autant de petits détails qui embellissent et peuvent faire toute la différence, en montrant au monde entier que vous n'êtes pas une fille victime... mais *sublime* de la mode.

3. Sachez vous chausser. Difficile à prononcer... mais rien ne peut mieux vous singulariser – ou améliorer une tenue atroce – qu'une fabuleuse paire de bottes, de ballerines ou de sandales. Attention, évitez les spartiates ! Oyez, oyez, bonnes gens ! Elles sont Démodées avec un grand « D » !

Face aux tyrans de la mode, montrez que vous avez de la personnalité et un style bien à vous... et dites adieu au look passe-partout !

Soyez glamour avec humour,

Halley Brandon

COMMENTAIRES (98)

Moa, j'm bien les tenues du Roi du hot-dog. Surtout les Kskets ! En fait, chuis hyper-mimi en couleurs primaires. MDR ! OK, les unifs ça va pas à tt l'monde. Mais J peux rien, moa.
Posté par UglyBettie le 5/10 à 9 h 30.

MDR ! Super conseils. Trop contente qu'on soit pas obliG d'porT des unifs à la SMS. La honte ! ;-(
Posté par blaguapart le 5/10 à 9 h 37.

Rien à voir avec le fait d'êt' obligée de porT une tenue de...
POM-POM GIRL, j'imagine ? ;-) C sûr que C pas le grd
amour entre toa et les supporters... surtout Avalon. (Sinon,
ouais, j'suis au courant pr l'épisode de la demoiselle d'HOR-
REUR !! !)
Posté par radio-potins le 5/10 à 9 h 59.

Vs avez lu le dernier post du blog Info-Santé ? Margie &
Olive vs présentent la malaria sous un jour fascinant ! Cli-
quez ici & vous saurez tout.
Posté par grenouille_de_labo le 5/10 à 10 h 08.

Le quart d'heure de Sofee

« *S*ofee... Wade et moi, on s'aime. Mais notre amitié à toutes les deux, ça compte autant pour moi... »

Assise sur la terrasse du Beach Shack Café, Halley se repassait les mots encore et encore dans sa tête, tout en respirant les appétissantes odeurs de grillade et de friture. Elle chaussa ses lunettes d'aviateur Fendi pour se protéger du soleil de début d'après-midi et se dit que, quoi qu'il puisse arriver aujourd'hui, ça ne pourrait qu'aller mieux. Elle était prête à passer aux aveux. Inutile de nier ses sentiments plus longtemps.

« Wade est mon âme sœur, mais je t'apprécie autant que... »

– Salut !

Sofee évoquait une déesse de la bronzette lorsqu'elle débula en rollers sur la terrasse, après avoir parcouru la promenade dallée. Pour changer de son habituel look de rockeuse, elle ne portait pas de noir... uniquement un débardeur vert American Apparel et un jean délavé coupé en short.

Halley se leva de table pour la serrer affectueusement dans ses bras.

– T'as un look super... différent...

– Ah, ben oui... merci ! dit Sofee, radieuse. C'est mon look La Jolla version plage. Tu vas en parler dans ton blog ?

– Ha ! fit Halley en souriant.

Une Sofee insouciante, détendue... c'était l'idéal pour passer aux aveux, comme prévu.

Sofee s'empara d'une carte dans le présentoir métallique en bout de table et commença à parcourir la liste des plats, tout en se glissant sur le banc, en face de Halley.

– J'ai une de ces dalles ! Qu'est-ce que tu prends ?

– Sans doute le hamburger à l'avocat, répondit Halley.

Sa longue séance de body-surf avec son père et Tyler lui avait ouvert l'appétit.

– Hmm... grimaça Sofee en plissant le nez.

– Quoi ? fit Halley avec un léger mouvement de recul. (*J'ai dit un truc qu'il fallait pas ?*) T'aimes pas l'avocat ?

– J'adore, acquiesça Sofee, avant de plisser les yeux d'un air songeur. Mais j'envisage de devenir végétarienne.

– Pourquoi ?

Au tour de Halley de plisser le nez. Impossible pour elle d'imaginer la vie sans hamburgers. De se passer des huîtres. Ou des calamars. Ou du poulet grillé que préparait son père.

– À cause de ce qu'on fait subir aux animaux, tout ça, tu vois ? expliqua Sofee avec une moue dubitative, tout en haussant ses épaules graciles et bronzées. Je ne suis pas vraiment sûre de pouvoir continuer à en manger.

– Oh...

Halley hocha gravement la tête. *Mais quand même... Fini les steaks ? Adieu le fromage ?* se dit-elle en frissonnant.

– À part ça... reprit Sofee en posant la carte. Ton week-end ?

– Hyperbien ! répondit Halley, le visage rayonnant. (Si Sofee lui tendait la perche, autant en profiter !) Mon dîner le plus sympa, c'était vendredi...

– Ah ouais ? s'enthousiasma Sofee, les sourcils en accents circonflexes. Moi pareil !

– Vraiment ?

Halley sentit l'occasion de se confier lui passer sous le nez. Nul doute que Sofee devait d'abord lui raconter sa soirée avant que Halley ne lâche... la bombe Wade.

– Où ça ? demanda-t-elle en se penchant pour sortir son brillant à lèvres de son sac de plage Marc Jacobs.

– On est allés en famille dans ce restau indien dont tu m'avais parlé, dit Sofee. J'ai pas pu m'empêcher de penser à toi quand ce vieux serveur, qui doit avoir plus de cent ans, s'est mis à nous expliquer les différences entre les pains naan, poori et paratha pendant... dix bonnes minutes ! J'ai failli t'appeler pour te proposer de venir dormir à la maison, mais on est rentrés vraiment tard.

– Oh... dommage.

Halley eut un pincement au cœur et se sentit coupable. Sofee avait pensé à elle, alors qu'elle-même profitait d'un dîner génial en tête à tête avec l'ex de Sofee. Halley se sentait monstrueuse, hypocrite, minable... une fille horrible qui ne méritait pas l'amitié de Sofee. Et si Sofee l'avait effectivement appelée, Halley aurait-elle menti à propos de l'endroit où elle se trouvait ?

– Je rêve ou quoi... ? reprit Sofee en plissant ses yeux sombres, tandis que son regard se promenait au-delà des filles en Bikini et des surfeurs débraillés qui déjeunaient sur la terrasse.

– Quoi ? demanda Halley en se tournant.

Oh non. Trois garçons franchissaient la porte grillagée branlante... à savoir Wade, accompagné d'Evan Davidson et de Mason Lawrence, autrement dit le bassiste et le batteur des Dead Romeos. Et ils se dirigeaient tout droit vers Halley et Sofee. *Non, non, non. Non !*

Halley contempla la liste des plats sur sa carte et essaya de ne pas paniquer. Devait-elle saluer Wade ? Elle n'allait tout de même pas faire semblant de ne pas le connaître... lui comme les deux autres, d'ailleurs. Non seulement elle avait passé beaucoup de temps en leur compagnie, mais elle était l'attachée de presse du groupe !

– Tiens, tiens... salut, les filles ! lança Mason en jouant comme d'habitude les Casanova, alors que trois paires de jambes poilues apparaissaient au bout de la table de Halley et Sofee. Quelle agréable surprise ! continua le batteur, tandis qu'il haussait le sourcil gauche en esquissant un sourire qui se voulait provocant.

Mais il donnait surtout l'impression d'avoir envie d'éternuer !

– Salut, Sofee... Salut, Halley, dit simplement Wade.

Non. Non. Et encore non ! Et s'il faisait allusion par mégarde à leur rendez-vous du vendredi ? Halley observa Sofee à la dérobée pour voir sa réaction en présence de son ex-petit ami. Comme Sofee semblait ravie, Halley put reprendre son souffle. Sofee souriait, c'était bon signe, non ?

– Salut, les garçons, dit Halley dans un rapide battement de cils en direction de Wade, avant de sourire à Mason, puis de poser son regard sur Evan.

Celui-ci avait changé de coiffure. *Génial !* Halley n'avait plus qu'à embrayer sur ce sujet de conversation tout à fait neutre.

– Evan ! reprit-elle. Depuis quand tu t'es fait couper les cheveux ?

– Oh... euh... hésita-t-il en piétinant avec nervosité dans ses Chuck Taylor noires montantes, avant de croiser le regard de Halley.

Waouh ! Elle n'avait jamais remarqué qu'il avait d'aussi beaux yeux, sans doute à cause de la tignasse noire bouclée qui les masquait autrefois. Ils évoquaient l'écume de mer... ni tout à fait bleus, ni tout à fait verts.

– Hier, répondit-il enfin.

– Ça te va super bien... tu fais plus mûr, ajouta-t-elle.

Halley ne plaisantait pas. Sa nouvelle coupe lui donnait une certaine allure.

– Merci, dit-il dans un sourire gêné. Ta coiffure est pas mal non plus.

– Ouais, c'est ça ! gloussa Halley, dont les cheveux devaient ressembler à des algues entremêlées, après avoir passé la matinée dans l'océan.

– Fascinante, la conversation ! ironisa Mason en claquant le dos de Wade avec une telle force qu'il trébucha sur Evan.

Sofee éclata de rire et fit un sourire à Halley.

– Sinon, qu'est-ce que vous faites dans le coin, les garçons ? demanda Sofee.

– En fait, on regardait les amplis dans la boutique d'en face, et on avait faim, expliqua Wade. (Halley n'osait plus le regarder, même si elle le trouvait plus sexy que jamais.) Alors, nous voilà.

– Et vous voilà ! répéta Sofee d'une voix pétillante qui ne lui ressemblait pas du tout.

Mais elle avait l'air différent aujourd'hui, de toute manière. Avait-elle enfin compris qu'il valait mieux que Wade et elle restent de simples amis dans le groupe ? Halley n'avait-elle plus rien à craindre ?

– D'ailleurs, tu devrais aller jeter un œil à l'occasion, ajouta-t-il. Ils ont un Fender hypersympa en solde qui devrait te plaire.

– Pile poil ce qu'il me faut, acquiesça Sofee. J'irai faire un tour. Merci.

– Pas de quoi. (Wade s'adressait à elle comme à une sœur. Halley l'avait remarqué, même quand il parlait *de* Sofee.) Bon... on va se dégoter une table. À plus, alors ?

– Pas de souci ! répondit Sofee en souriant à belles dents, telle une végétarienne devant un plat de tofu.

Halley s'autorisa enfin un petit sourire en direction de Wade, avant qu'il tourne les talons pour suivre Evan et Mason à la seule table inoccupée, de l'autre côté de la terrasse. Puis elle s'empressa de revenir vers Sofee, en recouvrant sa détermination et son courage.

– Ça devient carrément atroce, murmura Sofee, dont le sourire fondait à vue d'œil.

– Quoi donc ? s'enquit Halley,

– Ben... avec Wade.

– Pourquoi ? Vous avez l'air de bien vous entendre.

Inutile de se voiler la face, l'occasion de dire la vérité à Sofee était passée.

— Ouais, en apparence, précisa Sofee en pianotant sur la table avec ses ongles laqués de violet. Sauf que... (Elle leva les yeux au ciel avant de poursuivre :)... je lui ai posé la question à propos d'Avalon, à la répète d'hier, et il a répondu que les Barbie Airbags, c'était pas son type.

— Ben alors, ça roule... non ? dit Halley en rognant la cuticule de son pouce gauche.

— Mouais... dit Sofee en hochant la tête, tandis que ses ongles pianotaient de plus belle, à mesure que son débit s'accélérait. En fait, je veux bien le croire au sujet d'Avalon. Mais je pense qu'il n'a pas que la musique dans la tête en ce moment.

— Comment ça ? reprit Halley en éloignant le pouce de sa bouche pour éviter d'avoir l'air coupable.

— C'est clair qu'il est amoureux d'une fille. Sauf que c'est pas Avalon.

Halley faillit s'étouffer. *Elle est au courant...*

Sofee cessa de pianoter et se prit la tête entre les mains :

— Pourtant j'ai aucune idée de qui ça peut être...

Soulagée, Halley fixa son regard sur le menu.

— Mais les chansons sur lesquelles il voulait travailler hier étaient carrément nazes, poursuivit Sofee en tripotant le distributeur de serviettes sur la table. (Elle en prit une, la déchira en lambeaux et la mit de côté.) Il a même demandé si on pouvait faire une nouvelle version de cette polka mexicaine — crois-moi, je rigole pas — *La Cucaracha*. T'imagines ?

– Quel rapport avec le fait qu'il soit amoureux ? demanda Halley, essayant de dissimuler son émotion.

Elle pria pour que le serveur vienne remplir à nouveau leurs verres d'eau fraîche, car elle sentait son corps en surchauffe.

– Je te raconte même pas les paroles... ça parlait d'une beauté brune, aussi torride que la sauce *habañero* ! s'énerva Sofee. Franchement, ça rime à quoi ?

– Euh... un petit poivron d'amour qui enflamme les cœurs ? suggéra Halley pour détendre l'atmosphère.

Elle se retenait, mais elle avait une envie folle d'enchaîner une série de saltos et de flips arrière sur toute la terrasse. Wade écrivait une chanson sur elle ! Elle ne connaissait pas plus adorable comme garçon.

Sofee, en revanche, devenait peu à peu aussi écarlate que Wade avec la bouche pleine de sauce superépicée. Les roues de ses Rollers martelèrent le sol avec rage, tandis qu'elle pestait de plus belle :

– C'est de la folie pure. Attends un peu que je découvre qui est cette fille. Elle va pas comprendre ce qui lui tombe dessus !

¡ Ay, caramba !

Le feu d'artifice qui embrasait le cœur de Halley se transforma illico en pétard mouillé. Elle referma son menu. Non seulement elle n'avait plus faim, mais elle ne souhaitait pas rester une minute de plus à cette table. Quel que soit le temps passé à répéter les phrases dans sa tête, elle n'aurait plus le courage de s'expliquer à présent. L'occasion lui avait filé entre les doigts, et elle ne se représenterait pas de sitôt.

Les Fashion Blogueuses

TOUJOURS CHIC ET JAMAIS TOC !

Les planches à pain, ça craint !

Posté par Avalon, le mardi 7 octobre à 7 h 21 du matin

Ça fait trop longtemps que la mode vénère la maigreur. Il faut que ça change ! Les faits parlent d'eux-mêmes : d'abord, le look décharné, c'est démodé. Ensuite, les squelettes, c'est bon pour Halloween. Enfin, les bustiers et les garçons (surtout les rock stars) préfèrent les filles canons avec du monde au balcon. Quoi ? La bonne fée du décolleté vous a oubliées dans la distribution ? Pas de panique. Voici trois manières de vous sculpter une silhouette de rêve, qu'une tenue sexy mettra en valeur... tout en comblant l'élu de votre cœur !

1. Grignotez. Non, un café noir et une poignée de myrtilles, ça compte pas.

2. Achetez le bon soutien-gorge. Coucou, les filles ! Ça s'appelle « à balconnet ». Adoptez-le !

3. Arrêtez les rollers. Plutôt que de vous torturer avec le stepper, le rameur, le vélo, le tapis de course à la salle de

147

gym, essayez plutôt les haltères. Une belle poitrine vous rend divine ; la maigreur, c'est l'horreur !

C'est tout pour aujourd'hui. Rappelez-vous : une femme plantureuse est fabuleuse, une maigrichonne fait fuir les hommes. Suivez mes conseils et vos petits copains vous mangeront dans la main !

Bon shopping,

Avalon Greene

COMMENTAIRES (82)

C dingue ! J'aurais jamais kru lire ça sr 1 blog fashion. Une grosse, C + chikos qu'un sac d'os ? YEAH ! Gnial ! Passe-moi les M & M's ! ;-)
Posté par fashionDiva le 7/10 à 7 h 30.

T'as tt à fait raison pr les haltères. Les filles st trop branchées cardio-training, & les muscles C + cool. Les filles robustes ont du buste !
Posté par princesse_rebelle le 7/10 à 7 h 33.

C ridicule. Se moquer D maigres C aussi nul que de se Dfouler sr les grosses. Pas cool, ce blog.
Posté par missToulemonde le 7/10 à 7 h 37.

YEAH ! J'dois porT 1 soutif depuis la fin du primaire & ça m'a tjrs 1 peu Gnée, mais grâce à ton post, bye-bye les komplex ! Merci.
Posté par super_bon_plan le 7/10 à 7 h 46.

Vraie fausse meneuse

– *A*llez, on recommence... annonça Brianna d'une voix encore plus lamentable que la dernière collection people de chez H&M.

En nage, la capitaine avait les cheveux noirs collés au front et les joues rouge pivoine, sans parler des traces de sueur sur son débardeur Nike rose pâle, juste sous la poitrine.

– Du nerf, les filles ! aboya-t-elle après avoir bu une longue gorgée d'eau fraîche au goulot de sa gourde géante avec l'autocollant *JE TRAVAILLE SANS DOUBLURE & SANS BAVURE*.

Une fois de plus, Avalon se sentait vraiment mal pour son amie. La contrariété lui sortait par tous les pores, et la raison en était aussi claire que sa peau. Elles travaillaient sur cet enchaînement depuis une semaine et les gymnastes ne faisaient aucun progrès. Avalon avait beau essayer de l'aider, Brianna était de plus en plus dépassée et de moins en moins compétente. Il fallait que ça change.

Brianna battait la mesure en tapant dans ses mains, tandis que les filles exécutaient leurs pas de danse et agitaient leurs pompons, puis enchaînaient une série de mouvements plus difficiles. Les gymnastes avaient de mauvais points d'appui et leurs erreurs déséquilibraient certaines pom-pom girls. Brianna lança à Avalon un regard désespéré. Elle devait intervenir.

– Hé, Bree ? l'interpella Avalon. Je peux essayer un truc avant de continuer ?

– Oui... s'il te plaît, répondit Brianna avec un hochement de tête.

Elle semblait prête à se liquéfier sur place, comme la Méchante Sorcière de l'Ouest dans *Le Magicien d'Oz* mais en version non démoniaque, pour ne laisser que sa tenue de sport dans une flaque de sueur sur la pelouse.

– On se regroupe ! s'écria Avalon en rassemblant les autres autour d'elle. OK, les filles, vous pétez le feu ! Les gymnastes, vous n'avez plus d'excuses. On a toutes accompli ces culbutes et ces pirouettes dans le passé, et gagné toutes nos rencontres interscolaires. Il nous faut la même énergie que celle que vous mettez dans vos enchaînements au sol... surtout de ta part, Halley ! (Avalon s'autorisa un regard meurtrier en direction de sa meilleure amie, qui leva les yeux au ciel juste au bon moment.) Si tu fais ça pour me prouver toute ta haine, ça marche pas. T'es en train de te ridiculiser... et c'est valable pour tes copines aussi. On bosse pour le concours, les filles, alors montrez-moi ce que vous avez dans le ventre ! Et si vous pouviez, s'il vous plaît, garder le sourire et essayer de vous amuser, OK ? Il y a quand même pire que de participer à une compète régionale, avec des tas de beaux mecs qui vous dévorent des yeux, non ?

La plupart des filles acquiescèrent et quelques-unes poussèrent même des petits cris enthousiastes, tandis qu'Avalon leur faisait signe de se disperser.

Même elle se sentait requinquée et pleine de fougue. En avant toute, capitaine Avalon !

– OK, on attaque les acrobaties au sol ! s'écria Brianna.

Et chaque fille reprit sa place. Après une succession de pirouettes exécutées à la perfection, les gymnastes semblèrent avoir retrouvé leur entrain et leur énergie... comme de vraies pom-pom girls. Enfin, presque.

Avalon n'attendait pas de miracle instantané, mais restait convaincue que son petit speech les avait aidées. Elle observa du coin de l'œil Brianna qui tapait dans ses mains avec plaisir, avant de rejoindre l'équipe pour la dernière séquence de porters et de lancers. Toutes les filles étaient synchrones pour le grand final. Avalon se tenait à une extrémité de la base de la pyramide, et Brianna à l'autre. Comme elles étaient les plus légères, Halley et Sydney devaient se placer tout en haut, la première du côté de Brianna, la seconde du côté d'Avalon. Tout se déroula à merveille et chacune allait garder la posture quand Avalon entendit un hurlement. Puis ses bras se mirent à trembler et elle vit avec horreur plusieurs filles dégringoler sur les genoux, tandis que Halley faisait un vol plané avant d'atterrir sur la pelouse !

Avalon, prise de panique, se précipita vers ses camarades :

– Tout va bien, les filles ? Personne n'est blessé ?

Brianna gisait étendue à terre, une jambe repliée sous elle. Halley s'était redressée en position assise mais se frottait l'épaule, tandis que Miss Piggy titubait comme une mendiante de Pacific Beach... enfin, ça ne changeait guère de sa démarche habituelle.

– Brianna ! s'écria le coach Carlson en s'agenouillant

auprès de la capitaine. Tu peux remuer la jambe ? Tu n'as rien de cassé au moins ?

– Euh... je crois que ça va, répondit Brianna en prenant la main du coach pour se relever. (Elle fit quelques pas hésitants, puis sourit.) Tout va bien !

– Dieu soit loué !

Pour un peu le coach Carlson et les autres pom-pom girls allaient se lancer dans une danse de la victoire... jusqu'à ce que le coach Howe fasse remarquer que Halley restait à terre.

– Hal, tu vas bien ? s'enquit le coach Howe tout en repoussant d'un geste nerveux ses cheveux en arrière, tandis qu'elle se penchait vers Halley.

Avalon l'aurait volontiers aidée, mais elle se ravisa.

– Ouais, répondit Halley en hochant la tête, comme elle se relevait et défiait Brianna du regard. Mieux que jamais !

Avalon était soulagée, mais perplexe. Elle se demandait si Halley avait poussé le vice jusqu'à préméditer sa chute. Elle n'aurait pas risqué aussi gros pour saper l'autorité de Brianna... quand même ? Avalon préférait croire qu'il s'agissait d'une simple erreur. Toutefois, dans la pagaille ambiante, impossible de savoir ce qui s'était réellement passé... Elle n'avait pas le temps d'y réfléchir, de toute façon.

Les filles devaient passer au vote.

– OK, tout le monde va bien ! annonça le coach Carlson en se dandinant vers la ligne de touche, suivie par le coach Howe de son pas léger. Alors, allons toutes dans les gradins pour discuter.

– T'es sûre que tu t'es pas fait mal ? murmura Avalon

à Brianna, en lui prenant la main d'un air sincèrement inquiet tandis qu'elles s'asseyaient.

– Ouais, enfin... j'imagine, répondit Brianna, la respiration un peu haletante et le visage marqué : émotionnellement, Dieu merci, mais pas physiquement.

Avalon fronça les sourcils en réalisant combien cette élection s'annonçait difficile pour son amie. Mais si les supporters des Lions de la SMS devaient faire des étincelles au championnat, un sérieux changement s'imposait. Même Brianna devait en avoir conscience, non ? Dans quelques instants à peine, Halley proposerait Avalon au poste de capitaine et elle aurait enfin la chance de mener l'équipe dans la bonne direction. Ensuite, dès que Halley aurait mis les choses au point avec Wade, le duo Hal-Valon pourrait annoncer sa réconciliation et tout rentrerait dans l'ordre. Brianna allait peut-être la remercier... en définitive.

– OK, les filles, commença le coach Carlson, ses boucles orangées flottant dans la brise et son front rouge homard luisant sous le soleil de fin d'après-midi. Vous savez toutes que nous sommes censées élire une nouvelle capitaine aujourd'hui. Cependant...

– ... nous voyons bien que vous ne maîtrisez toujours pas l'enchaînement, acheva le coach Howe de sa voix fluette.

– Donc, continua le coach Carlson en glissant le pouce dans la ceinture de son short de gym moulant, nous avons décidé de reformer les deux équipes distinctes et de nous retirer du concours.

Quoi ? Avalon se pencha en avant et lança un regard furtif à Halley. Ça ne faisait pas partie du plan. Elle devait intervenir. Mais au moment même où elle allait se lancer dans un de ces discours destinés à remonter le moral des troupes, Brianna se leva d'un bond en hurlant :

– Non ! Euh... enfin, je veux dire... donnez-nous une seconde chance, s'il vous plaît ! On a juste besoin de temps. On peut y arriver.

– Bree, nous savons tout le mal que tu t'es donné... que vous vous êtes toutes donné, dit le coach Carlson en secouant la tête comme pour s'excuser. (Même le nounours aux couleurs du drapeau américain qui ornait son sweat-shirt avait l'air triste.) Mais nous craignons sérieusement qu'une des filles se fasse mal. L'erreur qui vient de se produire aurait pu entraîner de graves blessures.

De nouveau, Avalon pensa que le pacte secret du duo Hal-Valon pouvait être à l'origine de tous ces problèmes. Et si elles étaient réellement fautives, comment pourraient-elles un jour se le pardonner ?

– C'est ma faute si la pyramide s'est écroulée ! s'écria soudain Halley, devinant les pensées d'Avalon. (Leur télépathie donnait parfois la chair de poule !) Je suis vraiment désolée. J'avais la tête ailleurs. Mais ne pénalisez pas le reste de l'équipe à cause de mon erreur. Je sais qu'on peut réussir si vous nous laissez encore du temps pour répéter !

Halley l'avait donc fait exprès ? La culpabilité d'Avalon céda bientôt la place à la stupéfaction et à la colère. Halley aurait pu se blesser grièvement... et, à cause d'elle, les chances de concourir étaient compromises pour l'équipe.

Les deux coachs échangèrent un regard sceptique. Puis le coach Howe glissa un mot à l'oreille du coach Carlson.

– OK, reprit le coach Carlson, mains sur les hanches,

tel un cow-boy s'apprêtant à dégainer. Voilà ce que nous vous proposons. Vous avez jusqu'à lundi pour réussir cet enchaînement. Plus question de perdre sa concentration. Si ce n'est pas impeccable d'ici là, nous ne voterons pas pour élire une nouvelle capitaine et nous ne participerons pas au championnat.

– On peut y arriver ! s'exclama Halley, qui semblait prête à exécuter pour de bon le « V » de la victoire au lieu de la figure qu'elle singeait d'ordinaire par moquerie. OK, les filles ?

Avalon n'en crut pas ses yeux et ses oreilles lorsqu'elle vit Halley se tourner vers toutes ses camarades – pom-pom girls incluses – et se faire acclamer.

– Je savais qu'elle voulait ma perte, marmonna Brianna en agrippant le bras d'Avalon avec force. Qu'est-ce qu'on fait maintenant ?

– T'inquiète pas, chuchota Avalon en tressaillant sous la poigne de Bree. Je m'en occupe.

Mission impossible ?

– T'es sûre de rien vouloir avaler ? s'enquit Halley entre deux bouchées de Frosties.

Elle n'en revenait pas qu'Avalon puisse se passer de ses céréales préférées. Cela dit, l'entraînement avait été stressant à en donner la nausée, et, si l'angoisse ouvrait d'ordinaire l'appétit de Halley, il coupait toujours celui d'Avalon. Halley observa du coin de l'œil son amie et se prépara à un nouvel épisode des *Malheurs d'Avalon*, le grand mélodrame de l'automne.

– Je sais pas comment tu peux te goinfrer en un moment pareil, soupira Avalon, qui étendit les jambes sur la partie longue du canapé en L des Brandon.

Elle ferma les yeux et respira si profondément que Halley s'attendait presque à l'entendre se lancer dans une incantation ou un truc du genre.

– Tu veux qu'on en discute ? suggéra Halley en posant le bol vide sur la cheminée en marbre blanc à côté d'elle.

– Si je veux qu'on en discute ? répéta Avalon, qui se leva et abandonna la méditation qu'elle n'aurait pu prolonger au-delà de soixante secondes. (Elle posa les mains

sur ses hanches parfaites, prête à attaquer un enchaînement... ou un sermon.) Et comment, que je le veux ! (Elle
se mit à faire les cent pas.) Pour commencer... qu'est-ce
qui t'est passé par la tête à l'entraînement ?

– Pardon ? (Halley savait qu'Avalon était contrariée
par le report du vote, mais comment pouvait-elle en vouloir à celle qui avait sauvé la peau des pom-pom girls ?)
J'essayais seulement de respecter notre accord.

– M'enfin, t'as carrément saboté la pyramide ! riposta
Avalon, qui marchait de plus en plus vite, à mesure que
sa colère grandissait. On a failli gâcher notre chance de
participer au championnat. On a failli tout perdre !

– En attendant, j'en connais une qui perd les pédales,
dit Halley, qui ne put s'empêcher de se moquer du ton
grandiloquent de son amie.

– C'est pas franchement le moment de rigoler.

Waouh ! Avalon était furax... à juste titre.

– Hmm... j'ai pas saboté la pyramide, précisa Halley
en allant s'asseoir sur le canapé, près de Pucci qui ron-
flait en bavant tranquillement dans son coin, étrangère à
l'agitation ambiante. C'est ta capitaine adorée qui a
flanché.

– Quoi ? s'étrangla Avalon en s'arrêtant net, comme
bloquée par un mur invisible. (Médusée, elle vacilla vers
le canapé en faisant mine de s'évanouir de l'autre côté
de Pucci.) Comment tu sais ça, toi ?

– Parce que... répondit Halley en écarquillant ses yeux
bleus pour ménager son effet. Miss Piggy se tenait juste
à côté de Bree. Mais j'avais déjà compris que c'était sa
faute.

– Alors pourquoi tu t'es sacrifiée devant les coachs ?

s'enquit Avalon en plissant le nez comme lorsque Pucci faisait un prout.

– Parce que c'était évident que l'argument minable de Brianna, *On a juste besoin de temps*, ne faisait pas le poids, expliqua Halley. Bonjour l'incompétence, je te jure... On n'a plus de temps à perdre !

– Mais je... commença Avalon en frottant le ventre de Pucci avec frénésie.

– Av' ! l'interrompit Halley en lui prenant la main, de peur qu'elle ne finisse par arracher tous les poils de la chienne. Si personne ne s'était dénoncé, on n'aurait eu aucune chance de concourir. Mais puisque les coachs ont cru que c'était ma faute – moi, une gymnaste qui apprend encore les figures de pom-pom girl –, elles étaient prêtes à nous laisser une dernière possibilité de mettre au point l'enchaînement. Parce que c'était moi la responsable, et non pas l'équipe ou la soi-disant capitaine.

– Ah... d'accord, dit Avalon, comprenant enfin. C'est logique, j'imagine.

– C'est complètement logique, répéta Halley, qui réprima son envie de lever les yeux au ciel. C'est pour cette raison que Brianna ne devrait pas diriger cette équipe. Elle a flanché parce qu'elle était trop préoccupée par son statut et par l'élection de la nouvelle capitaine. Les gymnastes savent ce qui s'est réellement passé et elles ne vont plus jamais l'écouter après ça. Mais elles t'écouteront, toi, comme aujourd'hui... avant que Brianna fasse tout foirer.

– Ah bon, tu crois ? dit Avalon, ragaillardie. Mais qu'est-ce qui va se passer si les coachs décident qu'on n'est toujours pas prêtes pour le championnat ?

– On le sera, insista Halley.

Après qu'Avalon eut remonté le moral des filles, Halley s'était totalement sentie dans la peau d'une pom-pom girl... et seule sa meilleure amie pouvait susciter un tel changement en elle.

– Je pense juste qu'on doit modifier la manière d'aborder notre mission *Élection de la nouvelle capitaine*.

– Et tu proposes... quoi ? demanda Avalon en penchant la tête, tandis qu'un sourire amusé se dessinait sur ses lèvres.

– Bonne question ! répliqua Halley. C'est très simple, en fait. Faut que j'arrête de faire l'imbécile. Faut qu'on arrête toutes. Je peux pas ignorer Brianna comme je l'ai fait jusqu'à présent. Ça la rend dingue, et ça n'aide pas les gymnastes à progresser. Au lieu de ça, j'ai intérêt à me remuer les fesses et à m'assurer que les gymnastes se bougent aussi... au moins pour sauver la face.

– Halley ! Mon génie déteint enfin sur toi ! s'écria Avalon en se levant d'un bond pour se précipiter vers la cheminée, où elle grimpa sur la marche en marbre blanc, son podium préféré. Tu devrais les défier d'être encore meilleures que les pom-pom girls. Ça marche à tous les coups.

– Exact, acquiesça Halley. Et c'est toi qui viens de m'en donner l'idée. Tu vois ? À l'inverse de Brianna, tu parles couramment le langage de la gym et des pom-pom girls... Tu peux donc être son interprète quand les filles ne pigent pas ce qu'elle dit. Soit dans neuf cas sur dix.

– Pauvre Bree, dit Avalon en secouant la tête comme si elle la désapprouvait.

– Pauvre Bree ? répéta Halley, ébahie qu'Avalon

puisse la défendre. Cette fille a failli me tuer aujourd'hui ! Elle a entraîné toute l'équipe vers le bas... au sens propre comme au figuré. Alors pas question pour moi de soutenir cette prétendue chef hors du terrain de sport.

Avalon plissa le front, puis sourit.

– Bon, je suppose que tu peux toujours te dispenser du collage des affiches pour la réunion d'avant le match, et comme on sera en rogne contre toi, tu réagiras en massacrant l'enchaînement comme tu sais si bien le faire !

– Super ! dit Halley, impatiente de se donner en spectacle. Bon, maintenant fais-moi plaisir, arrête de stresser !

– Excuse-moi. (Avalon s'adossa à la surface lisse de la cheminée et regarda Halley en grimaçant.) Mais j'ai complètement flippé quand je t'ai vue faire ton vol plané. J'ai eu peur que tu te sois cassé quelque chose.

– Oooh, vraiment ? fit Halley en s'allongeant sur le canapé pour câliner Pucci. Tu t'inquiétais pour moi ?

Avalon hocha vivement la tête tout en se rapprochant elle aussi du sofa pour caresser la petite chienne.

– Réfléchis, voyons ! Comment j'allais annoncer à ton petit copain que la fille de ses rêves était paralysée, incapable de marcher... plus que l'ombre d'elle-même... et tout ça à cause des pom-pom girls ?

– Ouais, euh... hésita Halley en papillonnant des paupières, le temps de trouver ses mots. Je suis pas vraiment sûre que ça fonctionne, entre Wade et moi, en fin de compte.

– Quoi ? hurla Avalon avec une telle force que Pucci s'éveilla et se redressa sur ses quatre pattes en s'ébrouant. Tu disais que c'était ton âme sœur ?

– C'est ce que je croyais, mais...

Halley s'assit et contempla par les grandes baies vitrées du salon les petits palmiers agités par le vent. Elle cajola Pucci pour qu'elle se couche à nouveau.

– Dis-moi tout, insista Avalon. S'il te plaît !

– OK, tu sais que je déjeunais avec Sofee dimanche ? commença timidement Halley, tout en effleurant le bandana Free People de Pucci, l'un de ceux que Halley préférait et qu'elles avaient acheté l'hiver précédent.

– Oui, oui, dit Avalon, les yeux brillants d'impatience.

– Ben, apparemment, elle ne croit pas que Wade s'intéresse à toi, avoua Halley.

Dès qu'elle prononça la phrase, elle se rappela pourquoi, entre autres raisons, elle avait tant attendu avant d'aborder la question.

– Pardon ? riposta Avalon, visiblement offusquée.

S'il existait une fille qui se sentait toujours visée par la moindre remarque, c'était bien elle.

– Ça n'a rien à voir avec toi... insista Halley en tentant de ramener la conversation sur son propre dilemme. D'après Sofee, Wade aurait écrit une chanson sur une beauté brune et...

– Waouh ! s'exclama Avalon en lui prenant la main. Il est adorable, non ?

– Tout à fait, admit Halley. Sauf que Sofee est prête à exterminer cette mystérieuse inconnue. (Halley ne savait pas trop si son cœur s'emballait à cause de Wade ou de la peur que lui inspirait Sofee. Cependant il battait trois fois plus vite qu'à l'ordinaire.) J'ai l'impression d'être la pire des copines au monde.

– Eh ben, tu te trompes !

Avalon se leva brusquement et se rapprocha de la table basse en verre du living adjacent. Elle s'empara des Frosties et les mangea à même la boîte. Son stress cédait donc la place à la détermination... et toutes ces émotions lui ouvraient l'appétit.

– Non, je sais ce que je dis, gémit Halley. Elle allait m'inviter à passer la nuit chez elle, alors qu'au même moment j'étais en tête à tête avec son ex !

– Halley ! s'énerva Avalon en lui décochant un regard sévère, tandis qu'elle revenait en mastiquant bruyamment ses céréales. T'es la meilleure amie dont une fille puisse rêver. Enfin, réveille-toi ! Regarde comme tu as peur de blesser Sofee... au point que ça frise la folie, si tu veux mon avis. T'es tellement à l'opposé de la fille qui agit mal ! Wade et toi, vous êtes faits l'un pour l'autre. C'est pas ta faute. C'est... la vie qui veut ça. La destinée...

– M'enfin, comment tu veux que Sofee pige un truc pareil ? se désespéra Halley en levant les yeux vers les poutres apparentes au plafond, comme pour y trouver une réponse.

– Tu sais quoi ? reprit Avalon d'un ton ferme. Tu n'as qu'à attendre qu'elle l'ait complètement oublié, tu vois... Jusqu'à ce qu'elle rencontre quelqu'un d'autre... ?

Bien sûr. Avalon n'avait jamais vu aussi juste. Seul le temps pouvait guérir un cœur brisé. Tout le monde savait ça.

– Ça risque de prendre un temps fou, vu le genre de fille minable que c'est ! lâcha Avalon dans un éclat de rire.

– Hé... ne fais pas ça, dit Halley. Garde ton côté « génie », mais évite l'aspect maléfique, OK ?

– Désolée, dit Avalon en lui tendant la boîte de Frosties pour faire la paix.

En sentant l'odeur de nourriture, Pucci se redressa en frétillant de la queue. Halley prit une poignée de céréales et en donna quelques-unes à la petite chienne, avant de fourrer le reste dans sa bouche.

– Donc, tu sais ce que ça veut dire ? reprit Avalon en souriant jusqu'aux oreilles.

– Quoi ? demanda Halley, pas très sûre de vouloir entendre la réponse.

– On doit aussi faire passer la mission *Petit copain* à la vitesse supérieure ! s'exalta Avalon en étreignant carrément la boîte de céréales.

– Et ça signifie... ? s'enquit Halley en essayant de ne pas rire de son amie qui s'emballait toute seule à s'en donner le vertige.

– Ça signifie que... Sofee doit avoir davantage de preuves indiquant que Wade flashe sur moi ! déclara Avalon, tandis qu'elle brandissait la boîte en levant la jambe très haut, comme au stade.

Halley la fusilla du regard et secoua la tête.

– Ben quoi ? minauda Avalon en faisant la moue. Tu m'en crois pas capable ?

– C'est pas ça... commença Halley.

Mais Avalon lui coupa encore la parole :

– Parce que je le suis, figure-toi ! s'exclama-t-elle avant de s'agenouiller devant Halley en la regardant droit dans les yeux. Il suffit que ma relation avec Wade éclate au grand jour... et que tout le monde voie ce qui se passe. Plus il y aura de témoins, plus Sofee y croira.

– Hmm, peut-être... OK, accepta Halley, sentant sa

résistance l'abandonner. Mais alors je dois prévenir Wade de ce qu'on manigance.

– Quoi ? (Avalon manqua s'étouffer avec un Frostie.) Hors de question !

– Pourquoi ? s'enquit Halley, les sourcils froncés.

Dès le début, elle avait souhaité mettre Wade au courant de leur plan... mais elle ne savait pas trop comment s'y prendre. Elle avait espéré quelques suggestions de la part d'Avalon.

– Euh... d'abord, il va jamais piger.

– Bien sûr que si ! s'énerva Halley en prenant farouchement la défense de son petit ami en devenir.

– Sérieux, t'envisages de lui annoncer que, moi, je fais semblant de flasher sur lui, pour que, toi, tu puisses le voir en solo, dans le but d'éviter de mettre Sofee en pétard ? dit Avalon en riant de plus belle. *Primo*, le cerveau des garçons ne fonctionne pas comme ça, Hal. Moins ils en savent sur ce qui se trame dans leur dos et mieux c'est. Sinon, ils sont complètement paumés.

– Hmm...

Halley commençait à céder. Avalon en connaissait un rayon sur les relations fille-garçon. Non pas qu'elle eût de l'expérience à proprement parler, mais elle avait lu tous les articles écrits sur la question, du genre : « Les signes précurseurs du premier rendez-vous », « La drague et ses secrets », ou encore « Tout savoir sur les garçons en dix leçons ».

– OK. *Deuzio*, enchaîna Avalon, si on parle de notre plan à n'importe qui – je dis bien à n'importe qui –, on risque d'être démasquées. Et de devenir des cibles faciles. Totalement vulnérables. Autant dire tout de suite adieu à ton petit ami, et on se fera sans doute toutes les deux virer de l'équipe de supporters pour... trahison... ou un truc comme ça.

– Waouh... souffla Halley. Mais Wade ne s'amusera pas à dévoiler notre plan si je lui fais jurer de garder le secret.

– Qu'est-ce que t'en sais au juste ? demanda Avalon. Franchement, Hal, c'est de mon avenir en tant que pom-pom girl qu'on parle maintenant. Et je sais que t'es raide dingue de lui, mais tu viens à peine de le rencontrer, bon sang ! Si t'es vraiment ma meilleure amie, tu ne parles pas de notre plan à âme qui vive... même pas à une âme sœur !

Plus Halley y réfléchissait, plus elle se disait qu'Avalon avait raison. Mettre qui que ce soit dans la confidence pouvait se révéler désastreux pour elles deux. Et Halley s'en voudrait à mort si elle bousillait la vie d'Avalon ou brisait le lien qu'elles avaient tissé depuis qu'elles étaient toutes petites.

– Bon alors, qu'est-ce que t'as l'intention de faire ? demanda enfin Halley.

Avalon prit le temps d'y songer, puis sourit jusqu'aux oreilles :

– Je vais dire à Sofee que Wade joue et chante rien que pour moi en solo ! hurla-t-elle.

– Bon sang, elle va te faire la peau ! gloussa Halley.

– Autant que ce soit la mienne, pas vrai ? s'esclaffa Avalon. Oooh ! Attends ! La prochaine fois que je vois le groupe au complet, je saute direct dans les bras de Wade en disant que j'attends avec impatience le prochain concert privé !

– Waouh ! Et moi je n'ai plus qu'à t'accuser d'être

une voleuse de mec ! renchérit Halley. Pour que Sofee sache que je la soutiens à fond.

– Super !

– Au fait... ça me fait penser que les Dead Romeos se produisent vendredi après le match. Je vais dire à toute l'équipe des pom-pom girls d'y aller, pour qu'elles voient comment de vrais artistes se comportent sous les projecteurs.

– Bonne idée ! approuva Avalon.

Halley soupira d'un air rêveur. Dès que Sofee lui avait parlé du concert, elle s'était imaginée en coulisse avec Wade... avant de chasser aussitôt l'idée en réalisant que Sofee serait forcément dans le coin.

– Alors c'est OK, murmura Halley en laissant une petite lumière d'espoir traverser le gros nuage de doute qui planait au-dessus d'elle. J'imagine que ça vaut le coup d'essayer.

– C'est un plan d'enfer, tu veux dire ! s'écria Avalon, regonflée à bloc. (Elle se mit à parader dans le salon et agita la boîte de céréales en guise de pompon.) Si t'aimes vraiment Wade, tu dois y aller à fond. C'est tout ou rien !

– Dans ce cas, je choisis tout ! décida Halley, hilare.

Plus que jamais, elle était convaincue que sa meilleure amie allait devenir capitaine. Elle savait aussi – une certitude bien ancrée au fond d'elle-même – que Wade deviendrait son petit ami. Et avec une meneuse née comme Avalon de son côté, rien n'entraverait la marche de sa destinée !

Les Fashion Blogueuses

TOUJOURS CHIC ET JAMAIS TOC !

Déterminez votre célébritype !

Posté par Halley, le jeudi 9 octobre à 7 h 19 du matin

Scoop à l'intention de celles qui changent d'humeur et d'avis comme de tee-shirt ou de sac à main (à croire qu'elles ont leurs ragnagnas en permanence) : certaines filles sont minces par nature ! On aura beau engloutir des tonnes de crème glacée, on s'habillera toujours en 36-38... soit une ou deux tailles en dessous de certaines Barbie Mali*buste* qui ont trop de monde au balcon (sans vouloir vexer la PLU-PART d'entre vous qui sont gâtées par Dame Nature). En fait, n'importe quelle fille peut être mignonne, si elle sait mettre en valeur ses atouts. Voici donc le meilleur look pour CHAQUE type morphologique, selon la célébrité à laquelle vous ressemblez :

VOTRE CÉLÉBRITYPE : Kelly Osborne
AUTREMENT DIT : la silhouette « pomme »
À ADOPTER : le look unicolore (monochrome) et des tenues genre tunique & pantalon soyeux, sans oublier les accessoires attirant l'attention sur les parties plus fines de votre corps (le cou, par exemple !)

À ÉVITER : les gros motifs, les rayures verticales, les che-mises à ras le nombril (Beurk !), les micro-shorts... Bref, tout ce qui dévoile ce qu'il faut voiler. P.S. : Virez illico ces gros sabots qui alourdissent vos si jolis petits pieds.

VOTRE CÉLÉBRITYPE : les jumelles Olsen
AUTREMENT DIT : la silhouette filiforme
À ADOPTER : bermudas, minijupes, débardeurs, tee-shirts... bref, du chic et du basique. Mélangez avec des motifs chocs, des imprimés qui claquent, et toutes les cou-leurs de l'arc-en-ciel.
À ÉVITER : les maxi-pulls et tout ce qui est ultralarge. Désolée, M.K. et Ash, mais pourquoi vous avez encore l'air de deux gamines qui ont piqué les fringues de maman ?

VOTRE CÉLÉBRITYPE : Beyoncé
AUTREMENT DIT : la silhouette « poire »
À ADOPTER : les pulls, débardeurs à fines bretelles et bus-tiers à motifs de couleurs vives... Bref, tout ce qui booste votre buste ! Les jeans pattes d'éph', les jupes évasées ou les pantalons à ponts qui affinent la taille. Et les chaussures à talons qui allongent la jambe.
À ÉVITER : shorts serrés, microjupes, corsaires, et chaus-sures plates qui vous font des jambes comme des poteaux, et les hauts trop moulants qui rétrécissent votre buste et élargissent vos hanches.

VOTRE CÉLÉBRITYPE : Jessica Simpson
AUTREMENT DIT : la silhouette « sablier »
À ADOPTER : la ceinture large à grosse boucle, le pantalon cigarette, et tout ce qui accentue votre taille de guêpe et vos courbes harmonieuses... sans *trop* attirer l'attention.
À ÉVITER : les bustiers moulants, les petits hauts à fines bretelles, les pulls trop serrés et les microjupes qui hurlent : « SVP ! SVP ! Regardez comme je suis bien balancée ! »

En faire des tonnes à moitié dénudée n'est *jamais* attirant... et sans doute pas la meilleure façon de rencontrer un gars mignon.

VOTRE CÉLÉBRITYPE : Lindsay Lohan
AUTREMENT : la silhouette « poire à l'envers »
À ADOPTER : le pull en « V » sombre et simple qui affine le buste, avec une jupe en corolle ou un pantalon large pour équilibrer l'ensemble.
À ÉVITER : les corsages volumineux, froufroutants qui transforment vos airbags en montgolfières, et les jupes ou pantalons ultraserrés qui gomment vos fesses déjà quasi absentes. (Désolée, LiLo, mais ton look est nullos !)

Soit dit en passant : certains garçons préfèrent les Miss Fil de fer et d'autres les beautés plantureuses. Alors, si on arrêtait toutes de se prendre la tête avec notre corps, hein ? La lutte des tailles, c'est pas la lutte des classes, que je sache. Bon, je descends de ma tribune...

Soyez glamour avec humour,

Halley Brandon

COMMENTAIRES (73)

Super post, mais le duo Hal-Valon me manque. Aucune chance de réconciliation ? À 2 C mieux ! ;-(
Posté par blaguapart le 9/10 à 7 h 31.

G entendu parler de la pyramide infernale l'aut' jour. Arrgh ! J'oserai plus jamais vs souhaiT bonn chance avt l'entraînement, D fois que ça vs porte malheur ! ;-O
Posté par radio-potins le 9/10 à 7 H 47.

Scoop ! Demain le blog Info-Santé va traiter d'1 maladie du jour flambant neuve. Cliquez ici et vs saurez tt sr la peste bubonique !
Posté par grenouille_de_labo le 9/10 à 7 h 52.

O fait, 1 fille m'a dit que tte l'équipe Avalon aV attraP la peste bubonique ? Ah, non... j'me trompe... C la peste BUS-Tonique ! MDR ! Gnial ta peste... euh... ton post, Hal. ;-)
Posté par rockgirrrl le 9/10 à 7 h 58.

Ôte-toi de là que je m'y mette !

— Te voilà enfin ! s'écria Brianna en agitant la main avec frénésie, comme Avalon atteignait la rangée de casiers où toutes les pom-pom girls, sauf Halley, avaient les bras chargés d'affiches et de rouleaux de ruban adhésif.

— Regarde un peu, poursuivit Brianna en entraînant Avalon dans le couloir, suivie de près par l'équipe. C'est quoi, ça ? demanda-t-elle en désignant le mur vitré où Halley et Sofee collaient des flyers.

— Qu'est-ce que j'en sais, moi ? répliqua Avalon, l'air faussement innocent, avant de s'avancer vers Halley.

Elle prit l'une des affichettes dans la main de sa fausse vraie ennemie.

— Hé ! À quoi tu joues, là ? dit Halley en faisant mine de s'énerver, ses yeux bleus évoquant un tourbillon d'eau de mer pendant une mousson tropicale.

— Ouais, ces flyers appartiennent aux Dead Romeos, intervint Sofee qui lui décocha un regard meurtrier deux fois plus intense que celui de Halley.

Puis elle récupéra l'affichette d'un geste si agressif que le papier faillit se déchirer.

– Ah bon ? fit Avalon en rejetant ses longs cheveux derrière ses épaules, avant de récupérer le flyer dans la main de Sofee. Dans ce cas, je suis certaine que Wade voudra en avoir une. Je suis sa fan numéro 1, figure-toi.

– Ben voyons ! ricana Sofee, tellement agitée qu'on aurait dit que son piercing de fausse loubarde allait gicler tout droit dans la figure d'Avalon. T'es même pas venue nous voir jouer.

– Oh, mais je connais plein de vos chansons, riposta Avalon, une main sur la hanche, et la poitrine en avant pour appuyer ses propos. Les concerts privés, c'est la spécialité de Wade.

– Menteuse ! lança Halley en frappant la moquette gold du talon de ses santiags Seychelles en daim marron.

Incroyable ! Halley témoignait du même sens du mélo-drame que les Greene. Avalon était si fière qu'elle faillit en perdre sa concentration.

– Tu peux croire ce que tu veux, dit-elle en reprenant son personnage.

Elle redressa les épaules et rajusta son tee-shirt rose de concert vintage, déniché au fond du garage des Brandon dans un carton de vieilleries. Avalon allait jusqu'à supporter la forte odeur de naphtaline pour le bien de leur cause ! Si un tel sacrifice, ce n'était pas s'impliquer à fond, alors Avalon ne savait pas ce que c'était !

– Je vous verrai au concert demain soir, ajouta-t-elle.

– Tu vas pas quand même pas oser... reprit Sofee d'un ton presque plaintif.

À l'évidence, malgré les doutes qu'elle avait confiés à Halley, elle considérait toujours Avalon comme une menace.

– Oh que si ! affirma Avalon, pleine d'assurance. (Elle revint vers les pom-pom girls, puis tourna les talons en lançant un regard noir à Halley.) Au fait, Hal ?

– Quoi, encore ?

– Quand t'auras fini de jouer les attachées de presse avec l'accro du piercing, tu pourras peut-être nous donner un coup de main, dit Avalon en montrant l'une des affiches que tenait Brianna.

– *Ouais !* Génial ! À tout à l'heure, les filles ! s'écria Halley avec un entrain exagéré.

Puis elle exécuta un saut complètement raté, avant d'éclater de rire comme une folle avec Sofee.

Si Avalon avait ri à gorge déployée la veille au soir, elle réprima cette fois son envie de glousser en prenant un air offusqué.

– Oh là là, elle ne se contrôle plus, grimaça Brianna, écœurée, tandis qu'avec Avalon elle rejoignait les autres pom-pom girls, pour coller ici et là leurs affiches.

– Je sais, approuva Avalon, qui secoua la tête de son air le plus sincère. Je me demande même si on redeviendra copines un jour.

– À ce point-là ? dit Brianna, la tristesse se lisant dans ses yeux sombres en amande.

– Mais devine quoi ? reprit Avalon, espiègle. J'ai un plan pour la coincer là où ça fait mal !

– Vraiment ? fit Brianna, dont le visage s'éclaira soudain. Dis-moi tout !

– Ouais, c'est quoi ? intervint Sydney en prenant une affiche des mains de Brianna pour la tenir de chaque côté avec Gabby, pendant qu'Avalon et Brianna scotchaient les coins. Quelqu'un doit à tout prix remettre cette fille à sa place, et il n'y a que toi qui peux le faire !

– Chuuut ! souffla Gabby, comme Miss Piggy, Liza, Jocelyn Doyle et Regina Barclay – toutes des gymnastes – passaient devant elles avec une affiche.

– Oh, t'inquiète pas pour elles ! assura Avalon. C'est pas un secret qu'on est toutes anti-Halley... mais je peux quand même pas révéler les détails de mon plan.

– Oooh, allez ! implora Sydney, ses petits yeux violets en manque de scandale.

– Désolée, Syd, c'est impossible, dit Avalon en collant un dernier bout de Scotch sur l'affiche. Mais fais-moi confiance, ça va être d'enfer !

– Genre... tellement atroce que c'en est génial ? gloussa Sydney.

– Évidemment !

Avalon esquissa un sourire sournois, puis se rendit avec ses camarades au réfectoire avec leur dernier poster. Elle repéra Halley en compagnie des Dead Romeos au complet. Elle tapota alors le bras de Brianna de son ongle rose chewing-gum et lui glissa à l'oreille :

– Tu peux tenir cette affiche toute seule ? J'attaque la phase numéro 1 de mon plan !

– C'est vrai ? chuchota Brianna d'une voix de conspiratrice. Bien sûr, vas-y !

Avalon se rua vers la table où Wade, Evan et Mason étaient assis, juste en face de Halley et Sofee.

– Wade ! s'écria Avalon en arrachant de sa chaise le petit ami secret de Halley pour lui sauter au cou. Je suis tellement excitée pour le concert de demain soir !

– Ah ouais ? Cool ! fit Wade en étreignant Avalon à son tour, un sourire sincère aux lèvres. On a hâte d'être sur scène, nous aussi !

Au même moment, un groupe de filles à la table voisine se leva d'un bond. Elles portaient des tee-shirts *ÉQUIPE AVALON* et se mirent à l'acclamer.

En temps normal, la situation aurait pu la gêner, mais vu les circonstances c'était juste le coup de pouce dont Avalon avait besoin. Elle s'écarta pour saluer ses admiratrices d'un hochement de tête, tout en remarquant que les yeux de Wade louchaient sur les mots *SHAKES-PEARE'S SISTER* qui s'étiraient sur son tee-shirt. Un rapide coup d'œil en direction de Sofee et d'Halley, et l'affaire était dans le sac ! Outre la mine horrifiée de Sofee, la seule chose qui pouvait davantage combler Avalon serait d'être élue capitaine le lundi suivant. Mais, de toute évidence, avec le plan amélioré qu'elles avaient concocté, Halley et elle n'avaient aucun souci à se faire.

Le grand frisson

$\mathcal{H}$alley prit une grande bouffée d'air frais tout en contemplant la lune... un demi-cercle parfait suspendu dans le ciel constellé d'étoiles. Elle entendait les vagues s'écraser sur la plage à quelques rues de là. À moins que ce ne soit le bruit du lave-vaisselle des Houston dans la cuisine. Peu importait... sa montre indiquait presque neuf heures et demie, et elle était assise sur les marches de la véranda de Wade, côté jardin. Que demander de plus ?

– Et voilà...

Halley se tourna et vit Wade avec deux cônes glacés en main. Il lui en tendit un.

– Oooh, merci !

Halley savait qu'elle devait avoir l'air trop excité. Mais Wade l'avait appelée après la répétition, en la suppliant presque de passer le voir. C'était comme si elle avait attendu cette soirée toute sa vie.

– Euh... t'aimes les glaces à la pistache ? demanda Halley en regardant de plus près celle que Wade tenait à la main.

Incroyable !

– Ouais, répondit-il en s'asseyant si près d'elle que leurs jambes se touchaient. Et Häagen-Dazs est le roi de la pistache.

Halley n'en revenait pas. La seule personne de son entourage à reconnaître le génie de Häagen-Dazs en matière de pistache, c'était son père. Elle avait passé des années à tenter de convaincre Avalon que c'était la seule crème glacée digne de ce nom, mais son amie ne jurait que par la fraise... ce dont Halley se réjouissait, tout compte fait, car elle ne devait pas partager, même avec sa meilleure copine. À présent, elle ne pouvait imaginer plus romantique que de déguster un cône à la pistache en compagnie de Wade. Comme si Halley avait encore besoin d'un signe qu'ils étaient faits l'un pour l'autre.

– Ohé ! lança soudain une voix haut perchée de l'autre côté de la clôture, interrompant ce moment de grâce. Y a quelqu'un ?

Wade regarda Halley en haussant les épaules d'un air étonné, puis se leva d'un bond et gagna le portail blanchi à la chaux. Halley profita de l'absence momentanée du garçon pour dévorer goulûment le cône de glace, à l'abri des regards. Lorsque Wade parvint à la barrière, les spots à détecteur de mouvement illuminèrent toute l'arrière-cour et les nouveaux venus : Evan, Mason et... angoisse ! Sofee les accompagnait ? Halley s'essuya les lèvres et envisagea d'entrer dans la maison pour se cacher, mais le temps lui manqua. Les gars s'avançaient déjà vers elle. Elle poussa un soupir de soulagement en constatant l'absence de Sofee.

– Salut, Halley ! lança Mason en agitant sa crinière blonde hirsute comme il s'approchait de la véranda.

Qu'est-ce que tu fais là à cette heure-ci ? ajouta-t-il avant de faire un clin d'œil à Wade.

– Oh, tu sais, on discute de la campagne de pub pour le groupe... Le concert à l'Expresso Self va bientôt avoir lieu, répondit Halley d'un ton peu convaincant.

Mason avait dû deviner qu'il se tramait quelque chose entre elle et Wade... non ?

– OK, je refuse de donner encore des interviews ! minauda Mason en jouant les divas. C'est vrai, quoi... t'en as prévu des tas pour l'année prochaine, et j'ai l'impression d'être rien d'autre qu'un paquet de lessive face à ces journalistes. Et les filles ! Les filles ! Elles me lâchent plus ! gémit-il en se prenant la tête dans les mains.

Evan et Wade le contemplaient comme s'ils avaient affaire à un débile profond.

– Waouh ! fit Evan. Va falloir consulter un psy, mec.

Halley et Wade échangèrent un regard amusé.

– À part ça, qu'est-ce que vous faites là, tous les deux ? s'enquit Wade.

Il prit une bouchée géante de son cône et lança à Halley un regard désolé, à lui fendre l'âme.

– On t'a apporté un truc, répondit Mason en lui claquant le dos, avant de sortir un CD de la poche intérieure de son bomber vert kaki à capuche.

– J'hallucine ! s'extasia Wade, le visage rayonnant. La démo ?

Il s'empara du CD, mais Mason le lui reprit aussitôt et s'enfuit en courant dans le jardin. Wade le rattrapa sans difficulté et le plaqua comme un footballeur américain, en collant sa crème glacée à moitié entamée sur le visage poupin du batteur.

– Hé ! hurla Mason.

Il s'assit sur la pelouse et lâcha le CD pour essuyer sa figure dégoulinante de glace à la pistache, du revers de sa manche.

– T'es écœurant, mec !

Wade récupéra illico le CD dans l'herbe et courut vers le hamac, à l'autre bout du jardin.

Halley lança un regard à Evan, qui roula des yeux d'un air de dire : *Oui, ils en tiennent une sacrée couche...*

– Ça prouve une fois de plus que les filles sont plus mûres que les garçons ! dit Halley, sourire aux lèvres, comme Evan s'asseyait près d'elle sur les marches.

– Dis donc, on se comporte pas tous comme des gamins, répliqua Evan en lui rendant son sourire d'un air confiant et tranquille.

Décidément, sa nouvelle coupe de cheveux lui allait à merveille. Rien à voir avec l'Evan que Halley croisait dans les couloirs du collège, sans jamais le remarquer, pendant toutes ces années.

– Alors, Wade et toi, vous bossiez sur des trucs pour le groupe ou bien... ? demanda Evan en frappant le talon de sa Chuck Taylor noire sur la contremarche du porche.

– Ou... quoi ? gloussa Halley en plissant son nez ponctué de quelques taches de rousseur.

– J'en sais rien, dit Evan dans un haussement d'épaules, comme il se passait la main dans ses boucles brunes. J'ai juste l'impression qu'il pourrait y avoir un truc entre...

Avant qu'Evan puisse aller au bout de sa pensée, Wade et Mason déboulèrent en trombe sur la véranda.

– Allez, mec ! dit Mason en arrachant le CD aux mains de Wade. Faut qu'on écoute ça !

– Hmm... fit Wade en baissant la tête vers Halley, le regard hésitant entre l'excitation et le regret. Ça t'embête ?

– Non, pas de problème, répondit-elle dans un sourire, tout en réalisant qu'elle n'était pas conviée à écouter la fameuse démo. (De toute manière, elle se sentait un peu désarçonnée et presque piégée depuis l'arrivée des deux autres rockers.) Je vais vous laisser, les garçons. Faut que je rentre.

– Hé, attends... reprit Wade en lui coulant un regard rêveur qui signifiait : *Je ne veux pas que tu t'en ailles.* (Il se tourna vers Evan et Mason.) On se retrouve à l'intérieur ?

Mason émit un sifflement, tandis qu'Evan et lui ouvraient la porte du pavillon gris et s'y engouffraient.

– Waouh... souffla Wade avec un froncement de sourcils. Désolé pour tout ça.

– Pas de problème, insista Halley. Faut vraiment que je file.

– Attends...

Il lui prit les deux mains, tandis qu'il se rasseyait sur les marches de la véranda sans la quitter de son regard envoûtant.

Halley frissonna... à cause de l'humidité océanique, de la façon dont Wade la dévorait des yeux... et de la frayeur qu'elle avait eue à l'arrivée d'Evan et Mason, et qu'elle ne pouvait chasser de son esprit. Wade retira sa veste noire Diesel de style militaire et la posa sur les épaules de Halley.

– Merci, murmura-t-elle en respirant l'odeur caractéristique de Wade... un mélange d'eau de mer, de noix de coco et d'huile pour guitare qui imprégnait le vêtement.

– Écoute... dit-il en passant son bras droit autour d'elle pour la serrer fort contre lui. La vraie raison pour laquelle je t'ai invitée...

– En dehors de la crème glacée ? gloussa Halley, nerveuse, en essayant de garder son sang-froid alors qu'elle était blottie contre le garçon de ses rêves.

Malgré l'ambiance romantique de l'instant, elle ne pouvait s'empêcher d'avoir peur. Elle sentait la présence de Sofee... comme si celle-ci se trouvait tapie quelque part dans le jardin. Halley devenait-elle paranoïaque ? Ou devait-elle se fier à son intuition féminine ? Et si Evan et Mason les épiaient ? Allaient-ils tout répéter à Sofee ?

– Ouais, en dehors de la glace, reprit Wade le plus sérieusement du monde.

Il continuait à la fixer avec une telle intensité que Halley se sentait totalement hypnotisée, ce qui l'inquiétait d'autant plus. Elle devait s'arracher à l'espèce de torpeur où Wade la plongeait, afin de garder les idées claires. Elle battit plusieurs fois des paupières pour rompre le charme et s'écarta légèrement de lui.

– Qu'est-ce qui ne va pas ? s'enquit Wade d'un air blessé.

– C'est juste que... soupira-t-elle. Je suis un peu nerveuse, voilà !

– Oh, excuse... Je veux pas précipiter les choses ou quoi que ce soit...

– Non, c'est pas ça, dit Halley en se mordant la lèvre, tandis qu'elle frissonnait encore. C'est parce que... enfin, je crois qu'on devrait davantage faire gaffe à ne pas s'afficher ensemble en public.

– Quoi ? Mais... pourquoi ?

Trois fines lignes horizontales creusèrent le front de Wade.

– Parce que ! répondit Halley en écarquillant les yeux. Et si Sofee était venue avec Evan et Mason ce soir ? Si elle nous avait surpris... tous les deux seuls ?

– Et alors ?

Au tour de Wade de s'écarter à présent.

– Ça aurait été horrible...

Halley savait qu'elle dramatisait comme Avalon, mais c'était plus fort qu'elle.

– Pourquoi ? répéta Wade en plissant les yeux sous la lumière jaune de la véranda. Je ne sors plus avec Sofee. D'ailleurs c'est à peine si on est sortis ensemble. Maintenant c'est toi qui me plais. Point barre !

Waouh... Halley n'en revenait pas d'entendre enfin cette révélation et de ne pas pouvoir en profiter. *C'était si injuste !*

– Ben... euh... dit-elle, la voix entrecoupée, en cherchant ses mots. (Elle opta tout compte fait pour la sincérité : elle s'adressait à son âme sœur, après tout.) Tu me plais aussi. Mais... Sofee est mon amie. Et elle est perturbée, à un point que tu peux pas t'imaginer. Je veux pas envenimer les choses. En fait, je sais plus... Je suis complètement paumée.

– T'es paumée ? répéta Wade d'une voix dépourvue de passion. Eh ben, on est deux dans ce cas.

– Wade... commença-t-elle.

Halley ferma les yeux en essayant de se rappeler tous les mots qu'elle venait de prononcer. Elle avait commis l'erreur de se montrer sincère. Elle aurait dû emprunter l'un des guides d'Avalon à l'usage des garçons.

Wade lui coupa la parole :

– Non, ne dis plus rien. (Il semblait en colère à présent.) Je pensais que c'était important pour toi. Pour nous.

– Ça l'est. Nous deux, ça compte... Mais je...

Halley sentit des picotements dans ses yeux. Elle ne voulait pas pleurer, mais ne pouvait ignorer la brûlure sous les paupières, impossible d'y résister. Elle mourait d'envie de tout raconter à Wade. Lui expliquer qu'Avalon ne servait qu'à détourner son attention en présence de Sofee. Et Halley aurait volontiers vendu la mèche si Avalon ne l'avait pas suppliée de garder leur secret. Elle ne pouvait trahir sa promesse à sa meilleure amie.

– Je ferais mieux d'y aller, conclut-elle. Je t'appellerai...

Halley quitta le jardin en courant. Elle enfouit ses bras dans les manches de la veste de Wade, puis rentra chez elle à vélo, des larmes de peur et de désarroi coulant sur son visage. Son rêve si proche de devenir réel volait en éclats, et elle ne savait pas comment rassembler les morceaux.

En se faufilant dans la maison, Halley était transie. Elle n'avait qu'une envie : se glisser dans la chaleur de son lit, tout en sachant qu'elle ne pourrait pas dormir. Elle songea à appeler Avalon... mais elle avait l'impression d'être une chanson triste de Carrie Underwood, bloquée sur la touche Replay.

– Yeaaah ! Stri-i-i-ke ! beugla la voix de Tyler au rez-de-chaussée.

Ce cri de joie, à l'opposé de son humeur du moment, attira Halley vers la chambre de son frère.

– Hé... Tyler ? dit-elle, la tête dans l'embrasure de la porte.

– Ouais ? répondit Tyler en tenant sa télécommande Wii en l'air comme s'il s'agissait d'une vraie boule de bowling.

Outre sa chemise Norm et ses chaussures, Tyler portait une mitaine de sport noir à la main droite. Halley n'imaginait pas un instant que son frère s'y connaisse en filles non numériques et préprogrammées, mais c'était un garçon... Et son aîné. Et Halley ne savait plus vers qui se tourner.

– T'as deux secondes ? s'enquit-elle en entrant dans la chambre pour s'asseoir sur la couette gris métallisé de son frère.

– Oh, euh... ouais. Tu veux jouer ? dit-il en se tournant face à elle. Attrape une télécommande !

– Naaan... répondit-elle en se hérissant, tandis qu'elle se demandait si elle ne ferait pas mieux de s'en aller. (Mais puisqu'elle était là...) Disons que j'ai besoin d'un conseil...

– Ah, paumée tu es ? s'enquit Tyler en imitant maître Yoda dans *La Guerre des étoiles*.

Il s'assit auprès de sa sœur, tandis que la télévision HD continuait à diffuser la musique d'ascenseur du jeu Wii de bowling.

– T'aider, Tyler peut, ajouta-t-il.

S'efforçant d'ignorer sa crainte d'un conseil qui émanerait d'un grand maître Jedi, Halley se lança dans le résumé haletant des derniers rebondissements de son histoire avec Wade. Comme Tyler l'avait déjà rencontré, elle lui expliqua ensuite que Wade était sorti quelques jours avec Sofee avant de rompre avec elle pour proposer à Halley de devenir son petit copain.

– Bon, alors, c'est quoi le problème ? demanda Tyler en plissant les paupières.

À force de passer ses nuits dans le monde merveilleux de la Wii, des poches s'étaient formées sous ses yeux injectés de sang.

– Wade me plaît, avoua Halley en promenant sa main sur le lit de Tyler. Beaucoup. Mais je veux pas faire de peine à Sofee. Pour pas qu'elle s'imagine que je lui ai piqué son mec.

– Ben, c'est le cas, non ? répliqua Tyler en s'adossant à un coussin imprimé du logo Atari.

– Non, se défendit Halley. Enfin... je pense pas.

– OK, tu veux que je sois franc ? reprit Tyler en se frottant les paupières. Tu te comportes comme Avalon. Les mecs détestent les trucs tordus. On n'est pas compliqués. Contente-toi d'être sincère avec lui et laisse tomber le mélo.

– Waouh... Super, le conseil.

Halley se leva pour s'en aller, car elle sentait revenir le picotement dans les yeux.

Tu parles d'un frère aîné plein de sagesse... Avalon avait raison, les gars ne savent pas gérer les situations complexes.

– C'est un conseil d'enfer ! lui cria Tyler, comme elle sortait de sa chambre, la mine renfrognée.

Elle monta au premier, tout en essayant de comprendre comment un rendez-vous impromptu avec sa soi-disant âme sœur l'avait poussée à s'adresser, les larmes aux yeux, à son frère qui ne connaissait rien à rien. Ça ne faisait pas du tout partie du plan...

Les Fashion Blogueuses

TOUJOURS CHIC ET JAMAIS TOC !

C'est vendredi, c'est look sexy !

Posté par Avalon, le vendredi 10 octobre à 7 h 26 du matin

Waouh ! Vous êtes aussi excitées que moi par la venue du week-end ? Entre le match de ce soir et la nouvelle équipe d'enfer de pom-pom girls, sans parler des Dead Romeos qui vont déchirer un max sur la scène de l'Expresso Self Café, je n'ai qu'un mot à la bouche : DÉMENT ! Vous cherchez un petit conseil mode pour le vendredi, peut-être ? Moi, en tout cas, je sais que je porterai ma tenue flambant neuve et hyper-sexy de pom-pom girl. (Allez les bleu et or !) Mais si vous n'avez pas la chance de faire partie de la meilleure équipe de supporters de la planète, voici ma recette pour passer des dieux du stade aux idoles du rock.

INGRÉDIENTS
1 jean (Seven, True Religion, Citizen... peu importe)
1 tee-shirt basique (graphique, c'est grave chic, OK ?)
1 paire de chaussures à semelles compensées
1 pull ultradoux
3 accessoires d'enfer (collier, bracelet, boucles d'oreille, pochette... mais pas plus de 3)

189

MODE D'EMPLOI

Pour le match, enfilez le jean, le tee-shirt et les chaussures : vous aurez un look sport chic, qui n'a rien de dégradant sur les gradins. ;-)

Au moment d'aller au concert, ajoutez le pull et les accessoires, et hop ! En un clin d'œil vous passez du sport-confort au rock-couture, et vous êtes absolument sublime. ;-)

Super week-end à toutes ! À ce soir, les fashionistars !

Bon shopping,

Avalon Greene

COMMENTAIRES (95)

Vivement le match de ce soir ! Allez les Lions ! Yeaah !
Posté par bravissima le 10/10 à 7 h 26.

WOW ! Tu pousses à fond la transformation en rockeuse, alors ? Je reconnais que t'as raison : les Dead Romeos sont Gniaux !
Posté par grenouille_de_labo le 10/10 à 7 h 34.

YEAH ! Les footeux de la SMS sont les dieux du stade. Ce soir, on va dominer le terrain. Si T pas sr les gradins, TU CRAINS !
Posté par football_king le 10/10 à 7 h 46.

Bonne chance pr le match ! Les nouvell tenues de pom-pom girls st trop cool. J serai.
Posté par primadonna le 10/10 à 7 h 31.

But !

– L'équipe est au taquet ce soir, non ? confia Avalon, radieuse, à Brianna.

Elle rajusta son pull bleu et or, aux couleurs de la SMS, et lissa sa jupe plissée bleue bordée d'un liseré or. Elles allaient bientôt attaquer l'enchaînement de la mi-temps, et si tout se passait comme prévu elles le présenteraient de nouveau au concours régional dans tout juste neuf jours.

– Exact, acquiesça Brianna avec enthousiasme en ramenant une longue mèche noire derrière son oreille. (Elle avait les joues roses et l'exaltation ambiante lui donnait autant le vertige qu'à Avalon.) Merci beaucoup pour ton aide. Je me demande ce que j'aurais fait sans toi.

– Oh, c'est rien, dit Avalon avec un haussement d'épaules. De toute manière, le moment de vérité, c'est maintenant. T'es prête ?

– Oui, oui !

Brianna sourit puis fit signe aux autres filles de se rassembler sous les tribunes pour un dernier briefing de motivation. Une fois toutes les pom-pom girls en cercle, elle se tourna vers Avalon :

– Tu veux dire quelque chose ?

– Bien sûr !

Avalon passa un bras autour de Brianna et l'autre autour de Sydney. Elle regarda chaque fille droit dans les yeux avant de se lancer dans le speech qu'elle avait répété un million de fois dans sa tête, juste au cas où.

– OK, les filles, on y est ! C'est le moment ou jamais de montrer à la SMS et à la moitié de La Jolla qu'on a un enchaînement de la mort qui tue pour le concours régional. On a travaillé dur cette semaine, alors tâchons de prouver aux coachs qu'on peut y arriver. Rappelez-vous une chose. C'est pas vraiment pour elles ou pour la compétition qu'on se défonce. C'est pour nous toutes ! Pour se prouver qu'on est des gagnantes et qu'on va briller de mille feux comme des stars du stade. Alors, tâchons de briller ! Pigé ?

– Pigé ! hurlèrent les filles à l'unisson, tandis que le groupe se disloquait pour sortir en courant de dessous les gradins et revenir sur la ligne de touche.

Avalon sentait grandir l'enthousiasme à mesure que ses camarades se mettaient en place. Elle lança un regard intense à Halley, qui se tourna aussitôt vers les gymnastes en les fixant comme pour leur dire : *Vous avez intérêt à éblouir les pom-pom girls !* Avalon remercia en pensée sa meilleure amie : elle méritait tous les honneurs pour avoir réussi à pousser les gymnastes au maximum de leurs capacités en si peu de temps. Certes, les nouvelles tenues apportaient la touche glamour, et personne ne s'en plaignait. Bref, l'équipe au grand complet semblait sortir tout droit de *Relooking extrême : spécial pom-pom girls.*

Avalon prit une profonde inspiration pour se donner de l'énergie, tandis que Brianna faisait signe à la sono. Lorsque les premières notes de *4 Minutes* de Madonna s'échappèrent des haut-parleurs, une vague de folie submergea la foule. Les parents en bleu et or brandirent des mains géantes en mousse *LES LIONS SONT DES CHAMPIONS !*, tandis que les élèves dansaient sur la chanson. Avalon aperçut même Mlle Frey qui agitait en rythme son carré brun soyeux à côté de M. Ruiz, l'adorable nouvel assistant de l'entraîneur de foot.

Avalon n'avait jamais dansé avec une telle fougue. Elle sentait la musique pulser en elle de la tête aux pieds, et exécutait chaque figure comme si c'était l'ultime spectacle de sa vie. Elle connaissait l'enchaînement sur le bout des doigts... à tel point qu'elle se surprit à lancer des regards enjôleurs à des anonymes au hasard des gradins. Elle était en pilotage automatique et ça lui procurait une sensation phénoménale. Le public se fondait en une masse indistincte.

Lorsque l'équipe amorça les acrobaties, Avalon regarda chaque fille pirouetter dans les airs et se réceptionner au sol avec une perfection digne des Jeux olympiques d'été.

Puis vint l'instant fatidique de la pyramide finale. Avalon lutta contre le doute qui l'assaillait, tandis que toutes les filles prenaient leurs marques respectives. Cet enchaînement parfait, exaltant, risquait de s'écrouler – littéralement – en quelques secondes. Mais elle ne pouvait que contrôler ses propres mouvements, aussi décida-t-elle de canaliser toute son énergie sur la place qu'elle occupait dans la formation.

Concentre-toi sur tes gestes, se dit-elle. *Maîtrise uniquement ce que tu peux maîtriser.*

Ça avait l'air de tenir... de tenir bon, même... ça marchait ! Finalement l'équipe au grand complet s'immobilisa et s'écria : « Allez, les Lions ! ». La musique s'arrêta. Avalon promena son regard sur la foule et entrevit Wade qui montait les marches des tribunes, sans quitter Halley des yeux.

Oh là là ! Avalon s'arma de courage en s'attendant au pire. Et si la seule vue de Wade faisait dégringoler Halley ? *Concentre-toi, Halley. Concentre-toi.*

Mais comme les spectateurs se levaient pour applaudir à tout rompre, Avalon comprit qu'elle avait sous-estimé sa meilleure amie. La pyramide tenait bon. Elle aurait aimé voir le regard de Halley au même moment, là-haut dans les airs, contemplant son presque petit ami qui l'acclamait. Halley devait avoir l'impression d'être au sommet du monde. Et Avalon était fière de la maintenir là-haut.

Quand toute l'équipe eut mis pied à terre, les filles s'étreignirent les unes les autres. Avalon dut s'efforcer de garder Halley à une distance glaciale, mais les autres gymnastes et pom-pom girls fêtaient leur succès comme les coéquipières à part entière qu'elles étaient désormais. Ce fut alors qu'Avalon revit Wade, s'avançant cette fois vers la ligne de touche où se tenait Halley.

Houlà ! Je suis censée intervenir ? se demanda Avalon. Elle ne voulait pas interrompre Halley contre son gré, et Wade paraissait si... désespéré. Avalon scruta le stade d'un œil nerveux. Pas de Sofee en vue dans la foule.

Avalon capta le regard éperdu que lui lança Halley une seconde trop tard. Elle vit Wade prendre doucement Halley par le bras, et écarquilla les yeux en la voyant se détacher de lui et courir se réfugier sous les gradins, Wade dans son sillage. Le visage de Halley semblait grave à l'ombre des tribunes. Après avoir parlé moins d'une minute, Halley tourna les talons et regagna aussitôt la pelouse.

Wade réapparut, l'air accablé, et suivit Halley des yeux avant de se précipiter vers le parking. Avalon tourna vivement la tête pour vérifier comment allait sa meilleure amie. La pauvre ! Debout près de Miss Piggy et Liza, elle affichait un sourire de circonstance. *Qu'est-ce qui avait bien pu se passer ?*

Avalon aurait aimé pouvoir la consoler. Si seulement elle était intervenue, elle aurait peut-être pu éviter à Halley et à Wade cette rencontre visiblement désagréable. Avait-elle tout gâché ? Avait-elle abandonné sa meilleure amie au moment où celle-ci avait le plus besoin d'elle ? Avalon savait qu'elle allait devoir rattraper le coup auprès de Halley... et avec maestria si possible ! Heureusement, après le spectacle que les pom-pom girls venaient de présenter, Avalon était certaine de pouvoir offrir un autre numéro époustouflant. Elle repoussa ses cheveux blonds par-dessus son épaule et bondit vers les vestiaires. Lumière ! Moteur ! Action ! La Fashion Dragueuse entrait en scène !

Café solo

*H*alley franchit les portes de l'Expresso Self Café et entra dans une salle à l'éclairage tamisé, peuplée d'une multitude de branchés anonymes, avec plus de couleurs qu'un tableau de Matisse dans leur tignasse artistiquement hirsute. Certains s'agglutinaient près de la scène, située au fond, mais la plupart occupaient de petites tables rondes jonchées de MacBooks, de cappuccinos géants et de livres de poche écornés. L'endroit évoquait une vieille cabane en bois, avec des étagères du sol au plafond où s'entassaient pêle-mêle livres, magazines et boîtes de jeux de société.

D'ordinaire, il suffisait à Halley de respirer l'arôme du café fraîchement torréfié et d'entendre le gargouillis du percolateur crachant la mousse de lait pour se sentir à l'aise. Mais ce soir, elle était mal dans sa peau. Afin d'éviter de se faire remarquer en tenue bleu et or, elle s'était enveloppée d'un cardigan à capuche en cachemire qui lui arrivait aux genoux. Pourtant, elle avait encore l'impression d'enfreindre un règlement implicite qu'elle imaginait placardé çà et là sur les murs de la pièce :

Interdit aux pom-pom girls. Les filles de votre espèce ne sont pas les bienvenues !

Kimberleigh lui proposa un café au lait, mais Halley refusa.

– Je vais m'approcher de la scène, dit-elle.

Elle se dépêtra des pom-pom girls et joua des coudes en passant dans un groupe de jeunes en tee-shirts emo et punk divers et variés. Tandis qu'elle atteignait l'autre bout du café, les Dead Romeos surgirent de derrière un rideau violet un peu miteux et se mirent en place.

– Salut tout le monde ! Nous, c'est les Dead Romeos ! annonça Wade en s'attirant quelques acclamations et cris d'encouragement parmi les élèves du public.

Ses yeux sombres scrutèrent la salle et se plantèrent aussitôt dans ceux de Halley, mais le regard de Wade était vide.

Halley détourna rapidement le sien vers Sofee, dont le visage s'illumina, comme pour lui dire : *Ravie que tu sois là.* Halley s'efforça de partager l'enthousiasme de son amie, en espérant malgré tout que Wade était tout simplement nerveux ou ne pouvait pas bien la voir à cause de l'éclairage au plafond. Ça ne pouvait pas se passer autrement, si ? Elle savait qu'elle s'était montrée dure avec lui, après l'enchaînement de la mi-temps, mais elle lui avait envoyé un texto sitôt le match terminé, en lui disant qu'elle avait hâte de le voir au concert et de lui parler en privé. Il aurait dû se douter que le stade était un endroit bien trop public pour qu'ils s'affichent ensemble. Néanmoins, ça ne les empêchait pas de se voir plus tard...

– La première chanson s'intitule *What's in a Name*,

reprit Wade, avant de se tourner pour faire un signe de tête à Mason.

Le batteur amorça un tempo rapide et le groupe attaqua le titre.

Halley cessa de s'inquiéter du fait que Wade la regarde ou non. Comme d'habitude, la musique prit le dessus. Elle s'autorisa à se détendre et se laissa gagner par l'ambiance du concert. À la fin de chaque titre, elle criait à tue-tête et ovationnait le groupe, en lançant des regards enthousiastes à Sofee et à Evan. Elle apercevait à peine Mason derrière sa batterie, et craignait trop de rougir si d'aventure elle posait ne serait-ce qu'un bref instant les yeux sur Wade.

Je ne ferai que le distraire si je le regarde, se disait-elle. *Il doit rester concentré. Ce soir, ce sont les Dead Romeos qui comptent. Moi, je reste simple spectatrice.*

Halley se laissa bercer par une ballade à la douce mélodie. Elle sentait la salle succomber avec elle au charme de la musique. Même les plus vieux clients levèrent le nez de leur bouquin et battirent la mesure en remuant la tête.

Comme Sofee achevait la dernière note de son solo de guitare, Wade prit le micro à deux mains.

– Voici notre dernière chanson, annonça-t-il, tandis que Mason, Evan et Sofee disparaissaient en coulisse pour le laisser s'installer au piano. Elle s'intitule *Confusion*.

Il commença à jouer un air envoûtant que Halley n'avait jamais entendu auparavant. Il fredonna ensuite d'une manière à la fois douce et si intense que Halley crut sentir ses jambes se dérober sous elle. Puis il chanta :

199

On n'est même pas au milieu,
Et tu me dis que c'est la fin.
Si on reprenait au début,
Je suis certain qu'on serait bien...

Les paroles étaient autant de flèches lancées par Cupidon pour atteindre le cœur de Halley. Comme si Wade continuait sur scène leur conversation commencée la veille sur sa véranda. Il avait dû écrire la chanson après le départ de Halley, la veille au soir ; et s'il la chantait, alors qu'elle l'avait chassé à la mi-temps du match... ça voulait forcément dire qu'il était toujours amoureux d'elle ! Il voulait juste recommencer de zéro. Et qu'elle cesse de le perturber. Soudain, Halley se demanda pourquoi elle s'était montrée aussi idiote. Sofee allait comprendre... non ? Nul ne pouvait ignorer la destinée.

Plus la chanson avançait, plus Halley mourait d'envie de parler à Wade sitôt le concert terminé. Elle ne pouvait envisager sa vie sans lui. Mais comment le lui faire savoir devant Sofee ? Peut-être qu'ils pourraient s'asseoir tous les trois et en discuter tranquillement. Ce soir, c'était le moment ou jamais de jouer cartes sur table. Si seulement il voulait bien la regarder. Si seulement...

Vrai faux baiser

– **G**énial ! s'extasia Avalon en se précipitant vers la scène. (Comme Wade rejoignait tranquillement le public, elle l'entoura de ses bras nus.) T'es le chanteur le plus sexy que je connaisse !

– Waouh, merci ! répondit-il, sourire aux lèvres, en la couvant de son regard de braise. (Il scruta un moment la salle en plissant les yeux, puis revint à elle et l'étreignit à son tour.)

– C'est vraiment sympa d'être venue.

– Tu rigoles ? répliqua Avalon avec un enthousiasme exagéré. Pour rien au monde je ne voulais rater ce concert !

Elle savait qu'elle en faisait des tonnes, mais elle devait bien ça à Halley pour n'avoir pas su lui venir en aide tout à l'heure, à la mi-temps. Par ailleurs, et à la grande surprise d'Avalon, les Dead Romeos formaient un groupe de rock tout à fait valable. D'habitude, elle ne traînait pas dans ce genre de café un peu glauque, mais elle débordait tellement d'énergie après le match qu'elle se trouvait des tas d'excuses pour s'éterniser avec ses camarades. Et ça l'amusait de lancer des clins d'œil à Wade, chaque fois qu'elle surprenait Sofee en train de la mitrailler du regard. Elle était cependant prête à arrêter son petit numéro et à faire la fête avec Halley ; mais pour y parvenir, encore fallait-il qu'elle s'en tienne à leur plan.

– Tu sais, nos fans comptent beaucoup pour nous, reprit Wade. Comment te remercier pour ta fidélité au groupe ?

Des jeunes pseudo-rebelles de la SMS passèrent devant eux et marmonnèrent : « Cool, ton concert, mec » en lui tapant dans le dos, si bien qu'il trébucha en se rapprochant d'Avalon.

– Oooh, roucoula-t-elle, alors tu devrais assister au concours régional le week-end prochain et venir m'encourager ! Et Halley aussi, bien sûr...

– Bien sûr, dit Wade, sourire aux lèvres, en murmurant quelque chose qui échappa à Avalon, à cause d'un autre groupe de jeunes braillards venus féliciter la rock star.

Tant pis ! Ils attendraient leur tour !

Comme Wade se penchait davantage encore, Avalon surprit le regard de Halley et de Sofee à l'autre bout du café. Elle se tourna et les nargua de son sourire plein de mépris. Elle n'en revenait pas que Wade ait eu la gentillesse de se déplacer jusqu'au stade pour applaudir Halley... Et d'avoir vu Halley le repousser uniquement pour protéger cette imbécile de Sofee, ça lui fendait le cœur ! C'était si évident que Halley et Wade étaient faits l'un pour l'autre ! En devinant le désespoir dans les yeux de Halley, là-bas dans le coin, à côté de sa copine pseudo-rockeuse, Avalon se sentit plus que jamais impliquée dans le rôle qu'elle était censée jouer. Si elle prolongeait un peu son petit numéro, Halley pourrait enfin s'afficher en public avec le garçon de ses rêves.

– Désolée... qu'est-ce que tu disais ? reprit Avalon en se retournant vers Wade et en le fixant du regard.

– Je disais que... t'es incroyable, déclara Wade avec un sourire plein de douceur. (Puis il lui susurra à l'oreille :) si seulement toutes les filles étaient aussi franches et sincères que toi...

Avant même qu'Avalon ait eu le temps d'assimiler les mots, elle sentit les lèvres de Wade caresser son oreille et son cou. *Mais qu'est-ce qui...* ? Avalon tenta de transformer sa surprise en un sourire charmeur. Elle était sous le choc, mais pas peu fière de son interprétation. Si Wade y avait cru, alors Sofee aussi. En tout cas, le plan Hal-Valon se déroulait à merveille. Pourtant Avalon entendit une petite voix intérieure l'interroger : pourquoi Wade l'avait-il plus ou moins embrassée, s'il était si amoureux de sa meilleure amie... ? Mais elle décida que Halley avait dû finalement demander à Wade de jouer le jeu. C'était la seule explication. Avalon hésitait à faire confiance à Wade, mais Halley restait la seule à avoir une véritable expérience avec les garçons. Et s'il y avait une chose à laquelle Avalon pouvait se fier, c'était bien le jugement de sa meilleure amie.

Les Fashion Blogueuses

TOUJOURS CHIC ET JAMAIS TOC !

Fashion Vermine

Posté par Halley, le lundi 13 octobre à 7 h 23 du matin

Son look fashion attire les foules.
Elle est sympa, on la trouve cool.
Mais cette diva de la couture
Est une championne de l'imposture.
Une virtuose de la magouille
Qui s'éclate trop quand elle t'embrouille.

Car sous la soie et le cachemire,
Se cache une louve, un vampire.
C'est une diablesse en Prada,
Une garce en Dolce&Gabbana,
Une petite frimeuse en Fendi,
Qui t'ensorcelle, puis qui t'oublie.

Même si tu la kiffes en Gaultier,
Ne lui accorde aucune pitié.
Comme un Gucci de contrebande,
Ne l'accepte pas dans ta bande.
Comme un faux polo Ralph Lauren,
Elle ne mérite que ta haine...

Soyez glamour avec humour,

Halley Brandon

COMMENTAIRES (108)

G entendu dire qu'Avalon CT drôlement rapprochée de Wade vendredi soir. WOW ! La transformation est complète, alors ? C DINGUE. Mais pas autant qu'ce poème. T'as l'intention d'voir 1 psy ou koi ? J'crois k'C le moment, ma vieille.
Posté par radio-potins le 13/10 à 7 h 31.

T'as trop raison sur les gens ki s'camouflent sous leurs fringues. Classic, tu m'diras. Mais ton post Dchire, Hal. T 1 artiste & 1 poète. J'adore !
Posté par look_d_enfer le 13/10 à 7 h 36.

G com l'impression qu'1 mec T paC sous le nez en tombant ds les griffes haute couture de Vampirella. Mais ptêt k'il te plaît encore + du coup ? De tte façon, j'te soutiens à mort. SOUTENEZ L'ÉQUIPE HALLEY !
Posté par princesse_rebelle le 13/10 à 7 h 43.

Ouais, C ça ! L'équipe Halley va écraser l'équipe Avalon ! Car tte cette histoire de voleuse de mec est atroce... que tu crak encore pr lui ou pas... C toa ki l'a vu la preum's ! MDR !
Posté par primadonna le 13/10 à 7 h 50.

Capitaine malgré elle

— *H*alley ? Halley ! Halley-y-y !
La voix de Tyler résonnait faiblement, comme en provenance de la planète Mars. C'était parfois le cas, d'ailleurs, mais en l'occurrence il se tenait à l'entrée de la chambre de sa sœur.

— Ouais ? répondit Halley, l'air groggy, en contemplant les disques orange, turquoise et jaune de son couvre-lit.

Elle avait l'impression d'émerger du coma.

— Euh... et le collège, alors ? reprit Tyler, tandis qu'il plissait ses yeux bleu pâle en la regardant comme si elle débarquait d'une autre galaxie.

— Oh... il est quelle heure ? s'enquit Halley, l'esprit encore embrumé.

— Sept heures... et des poussières.

— On est quel jour ? dit-elle en se frottant les yeux, tandis qu'elle repoussait ses draps sur le côté.

— Lundi, abrutie ! répliqua Tyler avant de tourner les talons.

Lundi ? Pourquoi le week-end avait-il filé dans le brouillard ? Halley tenta de se remémorer tout ce qui s'était passé depuis le vendredi soir. *Aaargh... vendredi soir.*

Halley avait l'habitude de l'effet hypnotique que Wade produisait sur elle. En général, il la laissait avec les jambes flageolantes et une agréable sensation de vertige. Mais pas cette fois. C'était franchement désagréable. Un événement restait gravé dans sa mémoire, à savoir Wade et Avalon, son presque petit copain et sa prétendue meilleure amie, quasiment en train de se tripoter au beau milieu de L'Expresso Self Café !

Comment Avalon avait-elle pu faire un truc pareil ? Sans parler de Wade ! Après le concert, Halley serait volontiers passée chez son amie pour une confrontation. Mais celle-ci s'était éclipsée avec sa famille pour assister au quatrième mariage hollywoodien en trois ans de sa tante !

Comme par hasard...

Avalon avait visiblement hérité de l'appétit de sa tantine croqueuse d'hommes. Mais quand même pas au point de croire que ce genre de contact physique avec Wade faisait partie du plan. Elle était censée aider Halley, et non pas se servir de leur pacte comme d'une excuse pour jouer les garces... à moins que la mission secrète d'Avalon ne soit en effet de se trouver un petit copain.

Bon sang... C'était d'une clarté limpide. Depuis le début Avalon avait conçu un plan machiavélique : lui voler Wade en s'arrangeant pour que l'idée de le draguer vienne de Halley. Elle avait convaincu Halley de ne pas mettre Wade au courant, sous prétexte qu'il ne comprendrait pas. À cause d'elle, Halley s'était tellement remise en question qu'elle avait repoussé Wade... tout en lui balançant une Barbie Airbag en pleine figure ! Et, bien entendu, le pauvre allait se consoler dans les bras frêles de cette bimbo d'Avalon.

Halley devait appeler Wade et lui dévoiler toute la sinistre vérité... même s'il ne devait plus jamais lui adresser la parole. Elle se leva lentement et vit son mobile clignoter comme s'il la menaçait. Elle effleura l'écran qui indiquait quatre appels manqués – deux de Sofee et deux d'Avalon – et un texto. Tout en sachant qu'elle commettait une erreur, elle lut le message... qu'Avalon lui avait écrit le dimanche après-midi :

Si tu vois Wade, dis-lui qu'il me manque. ;-)

Je rêve ou quoi ? Halley avait envie de hurler... ou de pleurer, mais elle était tellement stupéfaite que même ses larmes semblaient figées derrière ses yeux. Dans un état semi-conscient, elle s'assit à son bureau et canalisa toute sa peine pour rédiger un post plein d'amertume sur leur fashion blog. Elle envisagea de sécher les cours, mais se dit que ça ne résoudrait rien. Elle s'obligea donc à s'habiller, en attrapant le premier jean True Religion qui lui tomba sous la main et un petit haut vaporeux griffé Free People à peu près potable. Elle rassembla ensuite son épaisse crinière en une queue-de-cheval brouillonne, enfila une paire de tongs et descendit en trombe au rez-de-chaussée.

À l'instar du week-end, sa journée au collège se déroula dans une sorte de brouillard. Entre les cours, Halley errait comme un zombie dans les couloirs, en évitant de croiser le moindre regard... en particulier celui d'Avalon. Après tout, leur pseudo-antipathie en public n'était malheureusement plus fictive mais bien réelle désormais. À l'heure du déjeuner, elle se réfugia dans la salle d'arts plastiques avec Sofee, où elles travaillèrent en silence sur leurs dessins respectifs. Celui de Halley finit par évoquer *Le Cri** dans une version plus torturée. Le grand art se créait dans la souffrance, paraît-il... C'était peut-être vrai, après tout. Le dernier cours s'acheva enfin et elle gagna les vestiaires.

– Comment ça va ? lui demanda Kimberleigh tandis qu'elle enfilait un débardeur de sport vert et un short en éponge à rayures bleu cobalt et vert.

– Pas trop mal, j'imagine, répondit Halley dans un sourire éteint, avant de retirer son corsage lavande et d'enfiler son short d'entraînement kaki.

– T'as pas l'air en forme, insista Kimberleigh, dont les doux yeux bleus trahissaient une inquiétude qui céda la place à l'accablement en voyant le visage de Halley se décomposer. Enfin... euh... c'est pas ce que je voulais dire... T'as l'air fatigué, voilà.

– Ouais, c'est vrai.

D'ordinaire, Halley détestait quand les gens substituaient « fatigué » à « sale tête », mais elle n'avait pas la force de s'en offusquer aujourd'hui. C'était même le cadet de ses soucis. Elle ferma les yeux et haussa les épaules. La douleur sourde qui palpitait dans son crâne depuis le vendredi commençait à s'intensifier.

– Alors aujourd'hui, c'est le grand jour, hein ? reprit Kimberleigh, les narines frémissantes, tout excitée.

---

* Célèbre tableau d'Edvard Munch, graphiste et peintre expressionniste norvégien (1863-1944). *(N.d.T.)*

210

Si elle essayait de lui changer les idées, ça ne marchait pas.

– Quoi ? fit Halley en plissant les yeux sans comprendre, tandis qu'elle resserrait l'élastique autour de sa queue-de-cheval.

– La décision finale ? dit Kimberleigh en penchant la tête de côté, si bien que son épaisse natte blonde retomba lourdement sur son épaule droite. Tu sais... les coachs vont nous annoncer si on participe au concours ou pas. Je parie qu'on va y aller ! Et on va élire une nouvelle capitaine... grâce à moi !

– Mais oui, t'as raison...

Halley avait complètement oublié que c'était un jour décisif pour les pom-pom girls... celui où Avalon espérait voir Halley la proposer comme chef pour remplacer Brianna. Mais c'était avant qu'Avalon ne décide que piquer le presque petit copain de sa meilleure amie se révélait plus important que de diriger l'équipe. Pour l'heure, si Halley devait lui décerner un titre, ce serait celui de « pétasse de l'année » !

Kimberleigh balaya la pièce du regard, une lueur espiègle dans les yeux, puis s'approcha de Halley et lui annonça tranquillement :

– Je vais te proposer comme capitaine.

– Quoi ? Pourquoi moi ? s'étonna Halley en jetant un coup d'œil sur le vieux banc en bois, afin de s'assurer que ses camarades n'écoutaient pas.

Heureusement, la plupart des filles avaient fini de se changer et quittaient les vestiaires.

– T'es la meilleure gymnaste *et* la meilleure pom-pom girl, affirma Kimberleigh d'un ton neutre. (Elle sortit de son casier un vaporisateur turquoise et appliqua plusieurs jets de laque sur ses cheveux, de sorte que sa natte étincela comme du cuivre poli.) Et on a besoin d'une fille comme toi pour diriger l'équipe.

– Oh, euh... merci, Kimberleigh, mais ne fais pas ça, s'il te plaît, grimaça Halley en secouant la tête.

Elle ne pouvait imaginer pire sort que de devenir capitaine. C'était déjà suffisamment pénible de faire partie de l'équipe.

– Pourquoi pas ? s'étonna Kimberleigh en se renfrognant.

– C'est que... je crois pas que ce soit mon truc, dit Halley en fourrant son sac de sport dans son casier, avant de refermer mollement la porte dans un cliquetis à peine audible.

– Mais...

– On se voit au stade ? dit Halley en lui coupant la parole.

Cette conversation l'agaçait terriblement.

– OK... à tout de suite.

Halley se sentait un peu mal d'avoir rembarré Kimberleigh, mais elle avait en tête des trucs plus graves que le sort de l'équipe. Elle sortit du bâtiment principal et s'engagea sur l'allée en brique qui menait au terrain de football. Plusieurs voix nasillardes de filles détournèrent alors son attention.

– Oui, elle est super bustée, mais aussi super douée !

Le bruit des claquements de mains lui fit l'effet d'une rafale de gifles en pleine figure, tandis que quatre supporters de l'équipe Avalon s'approchaient en braillant leur slogan à tue-tête... encore et encore. Halley plissa les yeux, essayant de les reconnaître ; elle était presque sûre d'avoir vu la petite brune aux cheveux courts avec un tee-shirt *Équipe Halley* la semaine précédente. En revanche, les deux autres blondes sautillantes ne lui disaient rien, pas plus que la rousse trapue. Des sixièmes, peut-être ? Comme elles paradaient devant les pavillons de la SMS, leurs paroles lancinantes résonnaient dans la tête de Halley. Lorsqu'elles arrivèrent enfin à sa hauteur, les deux Ava*clones* se séparèrent juste assez pour que Halley puisse se faufiler entre elles. Au dernier moment, elles la bousculèrent d'un coup d'épaule.

– Aïe ! À quoi vous jouez ? lâcha Halley en faisant volte-face, les joues rouges de colère.

Mais les gamines continuèrent leur chemin en braillant de plus belle.

Ras-le-bol ! D'abord Avalon la trahissait et voilà que ses supporters devenaient violents ? Mais grâce à cette bousculade de trop, l'équipe Avalon venait de sortir Halley de sa torpeur. Elle accéléra son allure, passa comme une flèche devant les tribunes et rejoignit les pom-pom girls qui s'échauffaient déjà sur le terrain. Halley n'avait plus qu'une idée en tête. Elle fit un rapide tour de piste, de plus en plus concentrée au fil de ses foulées.

– OK, les filles ! L'équipe se rassemble ! lança le coach Carlson, qui rayonnait sur la ligne de touche comme une maman fière de sa progéniture, son bras dodu entourant avec enthousiasme les frêles épaules du coach Howe.

Comme Halley s'approchait des gradins avec les autres, elle sentit qu'on l'attrapait par le bras. Elle se tourna et vit Avalon... les yeux étincelants comme du chocolat fondu, ses lèvres pulpeuses s'étirant en un large sourire. À croire qu'elle jubilait ! Halley écarta son bras d'un mouvement vif, rattrapa Kimberleigh et s'affala comme une masse sur les tribunes à ses côtés.

– Bien ! reprit le coach Carlson, les joues plus rondes et plus roses que jamais. Le coach Howe et moi sommes absolument ravies des progrès de toute l'équipe pendant la semaine passée.

– Je dirais même que c'est une vraie métamorphose ! plaisanta le coach Howe de sa voix fluette, en croisant ses bras graciles sur sa poitrine peu rebondie de gymnaste.

– Tout à fait ! Tout à fait ! acquiesça sa collègue. Nous avons donc le plaisir de vous annoncer que vous participerez au concours régional de dimanche !

Halley échangea un haussement d'épaules ambigu avec Kimberleigh, alors que le reste du groupe poussait des cris de joie.

– Nous avions promis qu'à cette occasion vous pourriez élire la capitaine de cette formidable nouvelle équipe, enchaîna le coach Carlson quand les filles se furent calmées. Le moment est donc venu de proposer des noms. Quelqu'un ?

– Je propose Brianna ! s'écria aussitôt Gabby Velasquez, installée au milieu du banc où Halley était assise.

– Super ! répliqua le coach Carlson, toutes dents dehors, tandis que ses yeux émeraude scrutaient les gradins. Quelqu'un d'autre ?

Halley pouvait quasiment entendre la voix menaçante d'Avalon résonner dans sa tête et la pousser à se lever pour la nommer. « Vas-y ! T'as promis ! On a passé un accord ! » disait la voix. Halley était presque tentée de le faire et de se placer ainsi au-dessus de la mêlée, histoire de montrer à Avalon qu'au moins l'une d'elles respectait leur pacte. Mais elle eut une meilleure idée.

– OK, chuchota-t-elle à Kimberleigh en lui pressant gentiment le bras. J'ai changé d'avis.

– Vraiment ? fit Kimberleigh, quasiment au garde-à-vous, le dos bien droit, comme elle se tournait vers elle, ses narines frémissant de plaisir.

Halley hocha la tête et sourit à belles dents.

– Vas-y.

– Je propose Halley ! lâcha Kimberleigh en se levant d'un bond.

Halley crut entendre quelqu'un retenir son souffle et se tourna vers ses camarades, l'air faussement humble et surpris, en écarquillant les yeux sans regarder qui que ce soit... surtout pas Avalon.

– Magnifique ! s'extasia le coach Carlson, le pouce glissé dans l'une des poches plaquées de son short de gym rouge qui moulait ses cuisses imposantes. D'autres propositions ?

Un silence gêné flotta sur le groupe comme une épaisse brume marine dans la chaleur de l'après-midi. Halley entendit une fille toussoter. Elle était quasi sûre qu'il s'agissait d'Avalon. Puis une voix s'éleva, presque aussi braillarde que celle des mini-supporters de tout à l'heure :

– Je propose Avalon !

Halley se pencha pour voir qui faisait cet honneur à sa fausse vraie amie : Sydney. Parfait. En définitive, Avalon n'avait pas besoin de Halley. Peut-être qu'elle n'avait jamais eu besoin d'elle, d'ailleurs.

– Génial ! commenta le coach Carlson, sourire aux lèvres. Encore une ?

– Je propose Sydney ! s'écria Avalon un peu trop rapidement.

Houlà ! Avalon formait une alliance avec Sydney ! Pas étonnant qu'elle n'ait pas hésité à lui piquer Wade. Elle ne pensait qu'à servir ses propres intérêts. Halley se rendit compte que la fille ayant séduit son âme sœur était elle-même dépourvue d'âme.

– Excellent ! observa le coach Howe. C'est si agréable de vous voir vous soutenir mutuellement. D'autres propositions... ?

Une autre minute s'écoula, peuplée de coups d'œil furtifs, de toussotements et de reniflements gênés. Le coach Carlson déclara les nominations officiellement closes et commença à distribuer des bouts de papier.

– Que chacune veuille bien se donner la peine de noter son premier choix, expliqua-t-elle, avant d'apporter son bulletin à ma collègue ou à moi. La première place reviendra à la capitaine, la seconde à son adjointe. Bonne chance !

La main de Halley trembla en griffonnant son propre prénom, puis elle plia le bulletin et l'apporta au coach Howe. Elle ne s'imaginait pas un instant devenir capitaine des pom-pom girls, mais quel autre choix s'offrait à elle ? Pas question de voter pour Avalon, Brianna, ou même Sydney. Halley garda les yeux fixés sur les deux coachs qui recomptaient les voix et chuchotaient entre elles. Finalement, elles revinrent vers les tribunes.

– Le score était serré ! beugla le coach Carlson en rajustant son gilet sans manches façon bannière étoilée. Coach Howe, vous voulez bien procéder à l'annonce solennelle des résultats ?

Sa collègue acquiesça et s'avança. Elle s'éclaircit la

voix, puis ramena une fine mèche brun roux derrière son oreille, ses yeux noisette se plissant comme elle déchiffrait le papier qu'elle tenait en main, avant de le lire à haute voix :

– Votre nouvelle capitaine adjointe est... Brianna Cho !

Quelques applaudissements polis se mêlèrent à des murmures surpris, tandis que Halley percevait un tout petit cri étouffé évoquant celui d'un oiseau blessé. Ce devait être Brianna. Elle était rétrogradée... ce qui signifiait que la chef serait Sydney, Halley ou Avalon.

Dans quelle galère je me suis fourrée ! se dit Halley sans pouvoir déterminer ce qui serait pire pour elle : obéir aux ordres d'Avalon ou de Sydney... ou travailler côte à côte avec Brianna. Avant qu'elle ait eu le temps d'y réfléchir, le coach Howe éleva de nouveau la voix :

– Et je vous demande à présent de faire un triomphe à votre nouvelle capitaine... Halley Brandon !

Non... Je... n'en... reviens... pas...

Kimberleigh entraîna Halley vers la pelouse, et le reste de l'équipe suivit. Les filles la hissèrent sur leurs épaules et improvisèrent un ban en frappant dans les mains : « Bravo Ha-lley ! » (*Clap-clap !*) « Tu as ga-gné ! » (*Clap-clap !*) Lorsque Halley put enfin remettre pied à terre, Kimberleigh lui sauta au cou et la serra très fort.

– Un discours ! Un discours ! crièrent plusieurs gymnastes *et* pom-pom girls.

– Waouh, les filles... dit Halley, pantelante et tremblante, avant de retrouver sa voix. Je suis vraiment touchée. Merci beaucoup. C'est tellement inattendu, mais...

Elle réfléchit un instant, puis se rappela l'allocution d'investiture qu'Avalon avait répétée avec elle. Elle se creusa la tête, en quête des paroles exactes, puis celles-ci lui revinrent soudain en mémoire :

– Même si je me sens très honorée par l'occasion que vous m'offrez – en me faisant confiance et en me jugeant capable de mener cette équipe à la victoire –, sachez que je vous considère comme mes égales. Selon moi, il n'y a pas qu'une capitaine à bord de ce navire. Nous sommes toutes capitaines, et nous pouvons toutes décider de l'endroit où nous mettons le cap. Unies. Toutes ensemble. J'espère que vous vous joindrez à moi pour ce fabuleux voyage, car, pour ma part, j'ai bien l'intention de mener ce navire à une destination appelée victoire !

Halley ne reconnaissait pas sa propre voix en s'entendant parler. Mais visiblement les filles gobèrent son discours comme des brownies basses calories à une vente de charité du collège. Même les pom-pom girls semblaient conquises... à l'exception d'une seule. Lorsque Halley s'accorda enfin un coup d'œil en direction d'Avalon, elle vit l'anéantissement voiler ce regard qu'elle connaissait si bien. Elle éprouva un pincement au cœur, mais le chassa aussitôt. Après tout, en tant que nouvelle capitaine de l'équipe, une seule chose comptait pour elle désormais : la victoire. À n'importe quel prix.

Les Fashion Blogueuses

TOUJOURS CHIC ET JAMAIS TOC !

SONDAGE DU JOUR :
fashion ou faux-jetonne ?

Posté par Avalon, le mardi 14 octobre à 7 h 14 du matin

On me demande souvent pourquoi je suis dingue de fringues. Eh bien, je vais répondre à mon tour par une question : si vous aviez le choix entre une (soi-disant) meilleure amie et toute une garde-robe griffée, à qui feriez-vous le plus confiance ? Après avoir dressé ma propre liste comparative, la réponse me paraît évidente*. Alors autant vous en faire profiter :

GRIFFE FASHION	GRAVE FAUX-JETONNE
Plus elle a de l'allure, plus elle vous en donne... et mieux vous vous sentez.	Plus elle a de l'allure, plus elle vous rabaisse... et pire vous vous sentez.
Elle vous remonte le moral et met vos atouts en valeur quand vous en avez le plus besoin.	Impossible de mettre la main dessus quand votre moral est à zéro et que vous avez le plus besoin d'elle.
Une vraie griffe de luxe a un prix, mais c'est jamais trop cher payé.	Plus la fille est fausse, plus l'addition est lourde... pour vous.

Alors, franchement, est-ce qu'on peut m'en vouloir d'être une fashion victime ? En fin de compte, avec les filles, ça passe ou ça casse... mais avec la mode et le glamour, c'est pour *toujours.*

Bon shopping,

Avalon Greene

* Soit dit en passant : toutes les filles n'échouent pas au test de l'amitié. Faites simplement gaffe de les choisir avec autant de soin que vos vêtements ! Pigé ?

COMMENTAIRES (130)

Tu T fait piker le poste de Kpitaine que tu mériT, mais tu sais koi ? Je te soutiens qd même à fond et on va gagner le concours ! Même si la Kpitaine est minable. Biz@toa !
Posté par super_bon_plan le 14/10 à 7 h 27.

Mouais... mais keske ça peut t'faire d'êt' Kpitaine ? T pas ds le trip groupie des Dead Romeos, maintenant ? Laisse Halley faire mumuse avec C pompons et va d'l'avant ! MDR !
Posté par radio-potins le 14/10 à 7 h 31.

Pas du tt d'accord. Une bonne copine, ça s'Dmode pas et C tjrs là pr toi. Ton post me rend triste. Reformez le duo Hal-Valon ! Si C pas pr l'amitié, faites-le au moins pr le concours. Cparé, vs échouerez, OK ?
Les grdes amies, C pr la vie ! Moi, j'pourrais pas vivre sans la mienne. C C d'vous chamailler et réconciliez-vs. S V P !!!
Posté par blaguapart le 14/10 à 7 h 38.

WOW ! G mal pr toi. Y a rien d'pire que d'se faire battre par sa meilleure copine à 1 élection. Mais tu restes MA star. Sans déc' j'ferais bien 1 razzia ds ton placard !
Posté par langue_de_VIP le 14/10 à 7 h 46.

220

C fou, je Dcouvre à peine ce blog ! Et moi aussi j'espère que le duo Hal-Valon va se resouD. On gagne pas ds la division mais ds l'union. Alors réunissez-vs et battez-vs ! (Mais pas entre vs... MDR !)
Posté par bowling_boy le 14/10 à 7 h 58.

La réalité dépasse la fiction

– V'iens ici ! pesta Avalon, folle de rage. Viens ici tout de suite ! Je rigole pas. Au pied !

Avalon pourchassait Pucci le long du rivage, ses cheveux blonds flottant dans son sillage. Lorsqu'elle rattrapa enfin la petite chienne, elle fixa la laisse rose fluo en faux diamants au collier assorti que Halley lui avait acheté, et l'entraîna vers les falaises pour qu'elles puissent avoir une « discussion » en tête à tête.

– Je ne veux plus que tu te sauves comme ça ! C'est compris ? reprit Avalon. Couché ! Et pas bouger !

En voyant les petits yeux marron tout tristes de Pucci, Avalon se sentit un peu coupable. Elle savait qu'elle ne devait pas faire peser le désastre de sa vie sur le plus adorable toutou du monde. En guise d'excuse, elle gratta Pucci derrière ses petites oreilles au pelage doré, tout en s'efforçant de réfléchir aux événements bizarres survenus ces deux derniers jours.

Ça lui paraissait si peu réel ! Pourtant, la vérité qui faisait froid dans le dos, c'était qu'Avalon venait de passer trois heures d'affilée à s'entraîner sous la direction de Halley... qui était censée être sa meilleure amie...

qui n'avait même pas envie de devenir pom-pom girl...
qui avait promis à Avalon de l'aider à se faire élire capitaine. Halley, la faux-jetonne égocentrique qui l'avait poignardée dans le dos.

Avalon contempla le coucher du soleil sur l'océan, dans un tourbillon de rose, orange, lavande et jaune illuminant le ciel. Le spectacle lui rappelait une des robes vintage Diane von Furstenberg de sa mère. Mais même le coucher de soleil fashion ne pouvait apaiser l'esprit tourmenté d'Avalon. Quasiment à cet endroit, à la même heure, deux semaines plus tôt, Halley l'avait convaincue de diriger le groupe de supporters. C'est à peine si l'idée avait traversé l'esprit d'Avalon. Mais Halley insistait tellement ! Ce jour-là, Halley avait manipulé Avalon dans le but de servir ses propres intérêts.

Elle s'est servie de moi. Dès qu'elle prit conscience de l'atroce vérité, Avalon sentit les larmes lui brûler les yeux. *Elle m'a tout bonnement piégée pour que j'aie l'impression d'obtenir quelque chose en échange de mon aide, afin qu'elle sorte avec Wade !*

Pucci se redressa en entendant les sanglots d'Avalon et tenta de sécher ses larmes à petits coups de langue, ce qui ne fit qu'aggraver l'état d'Avalon. Elle ne voulait pas que sa chienne la voie craquer ! Mais plus elle essayait de se ressaisir, plus ses nerfs lâchaient.

Comment Halley avait-elle pu se montrer aussi insensible ? Avalon avait pourtant tout fait pour que Halley puisse se retrouver avec Wade, allant même jusqu'à laisser ce gars l'embrasser, ou presque ! Halley l'avait-elle seulement remerciée de tous ses efforts ? Bien sûr que non. Dès sa mission accomplie, elle avait disparu de la surface du globe, avant de réapparaître suffisamment longtemps pour briser les rêves d'Avalon.

Quand elle aperçut M. Huggies en train de courir sur le sable, il ne la fit même pas rire. Au lieu de quoi elle grimaça... pas seulement parce que son short paraissait flotter encore plus qu'à l'ordinaire, mais parce qu'elle ne pouvait chasser de son esprit l'image de Halley passant tout le week-end avec son petit copain pseudo-rocker et ignorant tous les appels d'Avalon, alors qu'elle était coincée avec des tas d'adultes au mariage ultra-ringard de sa tante. Peut-être qu'elle aurait dû lui envoyer un texto marrant. Peut-être qu'elle aurait une fois de plus interrompu un moment romantique ! C'était tout à fait ce qu'Avalon craignait : que sa meilleure amie ne la snobe dès qu'elle sortirait officiellement avec son mec ! Alors, voilà : non seulement Halley avait un petit copain, mais en plus elle était chef des pom-pom girls. Quant à Avalon, il ne lui restait rien !

– J'ai tous les droits d'être en colère, pas vrai, Pucci ? dit-elle en se penchant pour câliner la chienne et laisser la petite boule de poils sécher ses larmes. C'est moi qui suis assise là toute seule. Bon, OK... ne le prends pas mal. T'es là aussi, et t'es ma seule véritable amie, Pucci... la seule fille sur laquelle je puisse vraiment compter.

– Salut, toi ! lança une voix qui la fit sursauter.

L'espace d'une seconde, elle crut que Pucci lui avait parlé... sauf que c'était sans conteste une voix masculine. Ses yeux bruns embrumés se promenèrent sur les boots Doc Martens noires, le jean noir et le sweat-shirt marron noué à la taille, puis ils détaillèrent le tee-shirt blanc à manches longues, porté sous un autre à manches courtes et vert olive avec l'impression *KEANE : HOPES AND*

FEARS, et parvinrent au visage qu'elle reconnut effectivement : Wade.

– Oh, salut ! dit Avalon en se passant le bout des doigts sur les paupières.

Elle baissa les yeux en faisant mine de s'intéresser au collier de Pucci, dont le strass s'écaillait déjà.

Classique, songea-t-elle. *Cette fainéante de Halley n'a pas pris le temps de chercher et elle a acheté un accessoire canin bon marché !*

– Tu vas bien ? demanda Wade, sincèrement inquiet.

Comme c'est adorable. Non, ça va pas.

– Euh, oui... marmonna Avalon, les yeux toujours rivés sur Pucci.

– T'as pleuré ? reprit Wade d'une voix douce, bien trop polie pour être honnête... et crédible.

– Non, mentit Avalon en affichant un sourire, avant de relever la tête et de croiser son regard. J'ai des allergies.

La dernière des choses qu'Avalon souhaitait, c'était que le petit ami de Halley apprenne qu'elle se morfondait sur la plage comme une pauvresse avec sa chienne... en pleurnichant sur la perte d'une prétendue amitié.

– Ah, d'accord... dit Wade avec un hochement de tête.

Puis il s'assit auprès d'elle – comme si elle l'y avait invité – et passa la main dans ses cheveux de jais en bataille. Soit il était assez naïf pour gober l'excuse d'Avalon, soit assez intelligent pour ne pas y prêter attention.

– Sinon, qu'est-ce que tu deviens ? demanda Avalon de sa voix la plus mielleuse.

Comme si elle se souciait de la vie de Wade ! Il sortait avec sa diabolique fausse vraie amie, après tout !

226

– Ça va mieux, répondit-il en prenant une poignée de sable pour le laisser glisser entre les doigts, comme Halley avait coutume de le faire.

Waouh ! Décidément, ces deux-là étaient faits l'un pour l'autre.

– Comment ça ? dit-elle, tandis qu'elle l'observait en plissant les yeux... et regrettait de ne pas avoir ses lunettes de soleil pour cacher ses yeux rougis.

– En fait, il y a des jours que je te cherche, avoua-t-il. Mais j'avais pas ton numéro... et t'envoyer un e-mail, ça me semblait pas génial. J'ai essayé de passer chez toi, mais y avait personne.

Les yeux de Wade étaient si sombres, et ces cils complètement déments... bien trop épais pour un garçon. Mais, bon, Avalon concevait plus ou moins que Halley puisse le trouver séduisant. Il dégageait une certaine énergie, et ces pommettes saillantes lui donnaient un vrai look de top-model. Plus Gaultier que Ralph Lauren, mais bon... peu importait.

– Et t'as pas pu demander à Halley ce que t'avais besoin de savoir, parce que ça aurait gâché la grosse surprise que tu lui préparais, rétorqua Avalon, impassible.

– La surprise que je lui préparais... ? répéta Wade qui semblait ne plus rien comprendre.

Les garçons... toujours à côté de la plaque.

– Écoute, je peux pas t'aider à trouver ce qui lui plaît ou pas, ricana Avalon, trop agacée pour dissimuler son impatience. Je croyais la connaître, mais j'ai découvert récemment que c'était pas du tout le cas. Alors à toi de te débrouiller tout seul pour...

– Euh... reprit Wade en penchant la tête comme Pucci quand elle voulait jouer avec Avalon. Cette fille, tu sais, j'arrive pas à la cerner.

– Tu m'étonnes... soupira-t-elle en levant les yeux au ciel.

– Toi, en revanche... (Wade tendit la main pour caresser Pucci)... t'as l'air bien moins compliquée. Dans le bon sens, je veux dire.

– C'est à moi que tu parles ou à la chienne ? riposta Avalon en se renfrognant, tandis qu'elle sentait la brise sur ses épaules nues et faisait d'instinct le dos rond.

Elle portait un léger débardeur rose moulant et l'air frisquet du soir rendait sa généreuse poitrine plus... visible. Si elle en jouait parfois pour faire son petit effet, elle n'allait pas laisser un gars qu'elle connaissait à peine – et encore moins le petit copain de Halley – loucher sur ses doudounes !

– T'es marrante, tu sais ? dit Wade en secouant la tête, comme il se rapprochait un peu d'elle, de sorte qu'elle sentit la rugosité du jean effleurer ses jambes nues.

– Ouais, c'est ce qu'on me dit, répliqua-t-elle en s'accordant un sourire.

Elle était tentée d'écarter sa cuisse de celle de Wade, mais le contact physique lui semblait amical, en fait, et... assez commode pour la protéger de la brise qui la faisait presque frissonner.

– T'as froid ? s'enquit Wade.

– Ouais, je crois, admit-elle calmement.

– Tiens, dit-il en dénouant son sweat-shirt pour le passer autour des épaules d'Avalon.

– Merci, dit-elle en souriant sans se forcer cette fois.

Aucun garçon n'avait été aussi gentil avec elle auparavant. Ça ne l'empêchait pas de se demander ce que cachait l'attitude de Wade. Pensait-il qu'en l'amadouant il marquerait des points aux yeux de Halley ?

– Donc, je rigole pas... Je t'ai réellement cherchée, reprit Wade en se redressant pour la regarder droit dans les yeux.

– Et moi je rigole pas non plus, répéta Avalon comme un perroquet, sans trop savoir où cette conversation la mènerait. Je sais pas quoi te dire au sujet de Halley...

– Je ne veux rien savoir sur elle ! explosa-t-il. (À son tour d'être irrité, à présent. Mais son visage se radoucit.) C'est... toi qui m'intéresses.

– Moi ? dit-elle avec un petit mouvement de la tête, juste au moment où le vent se leva, faisant retomber une lourde mèche blonde sur ses yeux marron.

– Toi, confirma Wade en écartant délicatement les cheveux du visage d'Avalon.

Puis, avant qu'elle comprenne ce qui lui arrivait, Wade se pencha en avant et posa ses lèvres sur les siennes. Contrairement au vrai faux baiser de vendredi soir, celui-ci avait l'air bien réel. Comme si la situation n'était pas déjà assez compliquée...

Les Fashion Blogueuses

TOUJOURS CHIC ET JAMAIS TOC !

Du faux chic au vrai toc !

Posté par Halley, le mercredi 15 octobre à 7 h 31 du matin

Il y a deux semaines, j'ai pondu un article sur la meilleure façon de détecter les marques bidon et les copies fashion. Mais il existe un autre genre d'imposture qui pollue les couloirs des collèges comme la SMS : la Barbie Airbag. Quels sont les signes flagrants qui permettent de repérer cette bluffeuse blondasse ? Je vous les livre ci-dessous :

1. Elle est boulimique du bronzage. Exact. Même quand le brouillard persiste pendant cinq semaines d'affilée et que vous ne l'avez pas vue mettre le bout du nez au soleil, la Barbie Airbag se débrouille pour garder son hâle profond. Comment ? Sa carte d'abonnement au Point Soleil du quartier, ses paumes orangées et l'absence de marques de maillot devraient vous donner quelques indices.

2. Elle est accro aux reflets « coup de soleil ». Elle prétend que le coiffeur ne lui en a fait que deux fois. Mais la transformation de blond cendré à platine s'est produite du jour au lendemain en classe de 6e. Et si la bouteille d'eau oxygénée qui traîne en permanence dans sa salle de bains ne servait pas uniquement aux premiers secours ?

3. Elle est rembourrée. Il suffit de regarder sa poitrine ! Tellement précoce pour son âge. Mais si c'est pas l'œuvre d'un chirurgien, alors c'est quoi ? Pour paraphraser une certaine Blogueuse, disons que ça s'appelle « soutif à balconnet ». Pigé ?

Il existe des tas d'autres façons de repérer la Barbie Airbag, dont l'espèce n'est malheureusement pas en voie d'extinction... ne serait-ce que sa prédisposition à vous poignarder dans le dos, par exemple... mais je m'en tiendrai aux trois critères développés ci-dessus.

Ah, j'allais oublier... Ça n'a rien à voir, mais vous avez dû entendre parler de l'élection de la nouvelle capitaine (des supporters) : MOI ! Je voulais donc remercier toutes les filles pour leur soutien. J'ai l'intention de mener cette équipe à la victoire, coûte que coûte !

ET LA GRANDE NOUVELLE DU JOUR :
Le Championnat régional intercollèges de pom-pom girls a lieu dimanche, et j'espère que vous viendrez tous nous voir battre les autres équipes à plate *couture*... comme il se doit pour des fashionistas !

Soyez glamour avec humour,

Halley Brandon

COMMENTAIRES (142)

Wow ! Ton post Dchire... tu fais pas de kados, mais j'imagine ke tu balances D vériT. Bonne chance pr le konkours de dimanche & bravo pr ton élektion kom Kpitaine !
Posté par fashionDiva le 15/10 à 7 h 36.

231

Tous mes vœux d'réussite, Kpitaine ! T en form pr te battre ! ;-)
Posté par look_d_enfer le 15/10 à 7 h 38.

Super sujet ! Ce serait aussi 1 bonne iD de Dtecter les symptômes de la fasciitis nécrosante (alias : bactérie mangeuse de chair).
Vs en saurez + en lisant le blog Info-Santé ici !
Posté par grenouille_de_labo le 15/10 à 7 h 48.

Arrgh ! Elle fait peur, ta Barbie Airbag... Moi, j'serais jamais pom-pom girl, remark. Bonne chance pr la compète ! Ah non, excuz... ça porte malheur ;-(
P.S. : C quoi c'commentaire du blog Info-Santé ? Hypernaze.
Posté par Dfaitiste le 15/10 à 7 h 52.

Date : mercredi, 15 octobre, 7 h 36

De : Halley Brandon <hallyeah@yahoo.com>
Pour : SMSPom-pomS@yahoogroups.com
Sujet : [SMSPom-pomS] S P pr Soirée Pyjama

Salut les filles ! Inutile de vous rappeler que dimanche a lieu le concours qu'on attend toutes. Alors on va fêter ça (et s'entraîner 1 dernière fois) après le match de vendredi !!! OK ?

INVITÉES : La plus fabuleuse équipe de supporters du MONDE ! (Vous !)
THÈME : Soirée Pyjama & ENTRAÎNEMENT !
HORAIRES : Du vendredi 17/10 à 19 h au dimanche 18/10 à 11 h
LIEU : Casa Brandon (cliquer ici pour le plan et l'itinéraire)
POURQUOI ? Parce qu'on est des stars (mais on peut devenir des superstars !)

Je compte sur vous ! (oui, c'est OBLIGATOIRE !)

Biz @ toutes
Capitaine Hal ;-)

Halley, cœur à vif

*C*utter X-Acto en main, Halley était assise à la grande table à dessin et travaillait sur un photo-collage quand retentit la sonnerie de midi. Elle n'était pas pressée d'aller au réfectoire. Et le dernier devoir pour M. Von Cleese l'absorbait complètement. Aussi continua-t-elle de découper les têtes de mannequins blonds en Bikini dans le magazine allemand fourni par le prof d'arts plastiques, avant de les coller avec soin sur la toile d'araignée qu'elle avait dessinée sur une grande feuille de Canson blanc. Halley avait décidé d'intituler son projet *Spidergirls*.

– Hé, ne fais rien d'illégal avec ce cutter ! lança Sofee, qui venait de s'approcher pour regarder.

– Trop tard, dit Halley, narquoise, en posant le cutter.

– Joooli ! commenta Sofee, qui éclata de rire en se tenant les côtes lorsqu'elle vit tous les visages avalones-ques flotter sur le dessin, chacune reliée à un corps d'arai-gnée, avec huit petites pattes tenant des couteaux pointés vers une autre araignée qui, elle, apparaissait de dos.

Halley sourit en ramenant une longue mèche de che-veux derrière son oreille. Elle se sentait tellement à l'aise avec Sofee qu'elle n'en revenait pas d'avoir tenté de la tromper. Sofee restait la seule amie sur laquelle Halley pouvait réellement compter. Cette fille partageait sa passion pour le dessin, alors qu'Avalon ne l'avait jamais comprise. Pas étonnant que Wade soit tombé sous le charme des deux, Sofee et Halley... même brièvement. Elles formaient pratiquement une seule et même personne ! Alors comment Avalon avait-elle pu se faufiler sournoisement entre elles ?

– Ça te dit de sortir vendredi soir ? On se fait un ciné ou tu viens dormir à la maison, ou un truc du genre ? s'enquit Sofee en grattant d'un ongle vert fluo sa délicate arcade sourcilière gauche ornée d'un anneau de piercing en argent.

– Oh... je peux pas, répondit Halley, masquant avec peine sa déception. (Nul doute qu'elle aurait préféré sortir avec Sofee plutôt que de se plier à son devoir de capitaine.) Je... j'ai invité les... pom-pom girls à s'entraîner chez moi après le match.

– Oooh... alors garde le X-Actro à portée de main ! répliqua Sofee en écarquillant les yeux d'un air diabolique.

– Ne me tente pas ! gloussa Halley. En fait, j'organise une soirée pyjama pour l'équipe, grimaça-t-elle ensuite, avant de poser de nouveau le regard sur son collage.

Même si elle était ravie d'avoir volé la vedette à Avalon, parler des petites histoires de supporters la mettait mal à l'aise.

– Bref, rien d'excitant, lâcha Sofee en secouant ses boucles brunes, récemment méchées de vert.

Mais ses yeux semblaient davantage plaindre Halley que la juger.

– Ouais, OK... mais je crois que je dois mettre le paquet, maintenant que je suis capitaine, tu vois ? (Même si Sofee n'y comprenait rien, Halley était décidée à devenir la meilleure chef de pom-pom girls qui ait jamais existé.) Je pouvais pas franchement refuser quand elles m'ont élue, si ?

– Exact, acquiesça Sofee. (Peut-être que Halley la sous-estimait, en définitive.) Alors peut-être qu'on pourrait faire un truc ensemble samedi. Ou dimanche ?

Halley sentit sa gêne grandissante menacer de l'étrangler.

– Ben samedi, on va répéter toute la journée. Et dimanche, c'est le concours.

– Waouh. Bon, ben... c'était sympa de t'avoir connue, souffla bruyamment Sofee. T'as l'intention de finir ta vie sur un terrain de sport, les pompons à la main ?

– Allez, arrête de te moquer, reprit tristement Halley.

Elle savait que Sofee essayait juste d'être drôle, mais elle se sentait mal d'avoir à refuser toutes les invitations du week-end.

– Non, je vais me venger, pouffa Sofee en s'emparant du cutter pour découper d'autres têtes du genre *Ava*-blondes dans le magazine posé sur la table à dessin.

Halley s'esclaffa avec elle.

– En fait, j'allais te demander si tu voulais venir au concours dimanche... enfin, si t'as rien d'autre de prévu ?

Halley n'avait pas du tout prémédité sa phrase, mais elle sentait qu'elle devait inviter Sofee. Et puis la présence de son amie à la compétition rendrait l'épreuve moins pénible.

– Bien sûr ! s'extasia Sofee, comme si Halley venait

de lui proposer une place à un concert de Coldplay. À quelle heure ?

– C'est vers les trois heures de l'aprèm, dit Halley, ravie du soutien de son amie.

– Cool, acquiesça Sofee. Je peux venir sans problème. J'ai répète le matin, mais on devrait avoir fini à midi.

– Génial !

Halley sentit soudain son enthousiasme se dissiper. Dès que Sofee fit allusion à la répétition, les images horribles de Wade et Avalon en train de flirter envahirent son esprit.

Elle avait tout fait pour éviter de discuter du fameux événement avec Sofee. D'une part, celle-ci avait été aussi anéantie que Halley par la scène d'amour torride qui s'était déroulée sous leurs yeux. D'autre part, Halley ne voulait pas donner l'impression d'aller à la pêche aux infos au sujet de Wade. Cependant, elle mourait d'envie de savoir ce qui avait pu traverser la tête de ce garçon ce soir-là... et depuis lors. Mais si Halley souhaitait vraiment l'appeler et lui dire à quel point Avalon était une manipulatrice, elle ne pouvait s'y résoudre. Elle savait qu'elle passerait pour une jalouse maladive. Une cinglée calculatrice. Ou une cinglée tout court. Aussi avait-elle décidé de botter en touche et d'attendre qu'il revienne vers elle. Elle attendait encore. Et à présent elle ne pouvait s'empêcher de se demander s'il y avait le moindre espoir que Wade veuille encore d'elle.

– À part ça, les répètes se passent bien ? s'enquit-elle enfin.

C'était une question innocente, non ?

– Super bien, en fait, répondit Sofee en contemplant d'un air songeur les étagères débordant de matériel. On a tous bossé comme des malades. Surtout Wade. Je ne l'ai jamais vu aussi concentré.

Aussi concentré ? Wade se lançait à corps perdu dans sa passion pour éviter que Halley le perturbe ? Et s'il était aussi à fond dans sa musique, alors il n'avait pas le temps de voir quelqu'un d'autre, pas vrai ? C'était pas le scoop du siècle, mais Halley s'accrocha à cette nouvelle info. Peut-être qu'Avalon n'entrait pas en ligne de compte ? Peut-être que Halley et Wade avaient encore une chance. Si elle était enchantée de fréquenter une fille aussi géniale que Sofee, et prenait soin de ne pas gâcher leur amitié, Halley ne souhaitait pas pour autant passer le plus clair de son temps à agiter des pompons en mini-jupe plissée... et à réaliser des dessins revanchards. Quelques jours à peine s'étaient écoulés, mais Halley sentait déjà que la vie sans Wade n'avait plus vraiment de sens...

Les *Fashion* *Blogueuses*

TOUJOURS CHIC ET JAMAIS TOC !

Du faux chic au vrai toc ! (revisité)

Posté par Avalon, le vendredi 16 octobre à 7 h 22 du matin

Je ne voudrais pas passer pour la gamine de service, comme une certaine Blogueuse, en lançant la chasse au faux chic vraiment toc, mais c'est mon devoir de journaliste d'attirer votre attention sur un *autre* genre de faux-jetonne qui hante les couloirs de la SMS. Elle est peut-être griffée classe, mais elle déclasse grave. C'est la bluffeuse ultime et la reine de la frime... bref, la fille qui se la joue. Comment la repérer ? Rien de plus simple :

1. C'est un caméléon. Elle change de tenues comme d'idées (et d'amies), histoire d'être vue partout et avec tout le monde, sans jamais se démarquer, comme elle le prétend, par son pseudo-style ultraperso.

2. Elle ment comme elle respire. Elle vous dit que votre look est nul, puis elle vous le pique et agit comme si elle l'avait non seulement amélioré, mais carrément *inventé* !

3. Elle use et elle abuse. Elle vous promet un truc, mais dès qu'elle obtient ce qu'elle veut, elle disparaît de la circulation. Quel rapport avec la mode ? Aucune idée. Parfois la vie d'une dingue de fringues défie la logique chic et choc !

Vous pensez avoir ce genre de faux-jetonne dans votre entourage ? Alors suivez mes conseils : verrouillez vos placards ! Planquez vos accessoires ! Et par-dessus tout, ne la laissez pas s'approcher de votre style perso ! Elle vous l'aura piqué avant même que vous ayez eu le temps de crier : « ALLEZ, LES LIONS ! » ;-)

Bon shopping,

Avalon Greene

COMMENTAIRES (164)

Alors C com ça que t'as l'intention de te dénonC com frimeuse ? Parce que c'est TOI qu'as l'R de changer de look ttes les 2 secondes. D'1 aut' côT j'trouve ça génial, parce que C tjrs bien de savoir se réinvenT... mais seulement qd C pas bidon et par pr devenir celle qu'on n'est pas. Enfin, moi, c'que j'en dis...
Posté par Vogue_a_l'âme le 16/10 à 7 h 29.

WOW ! C com si t'avais traîné avec mes « amies » C temps-ci. Tu C, celles qui t'empruntent 1 truc et qd tt le monde les complimente, elles font genre elles l'ont découvert elles-mêmes ? Les boules !! ! (Mais j'dois dire que le post de Halley l'aut' jour éT bien + dur. J'crois qu'elle a marqué 1 point sr ce coup-là ! ;-)
Posté par look_d_enfer le 16/10 à 7 h 30.

T'inquiète, Av. Mêm si on te pik ton style, C toi ki l'as créé et C à toi qu'il va le mieux. Sinon, j'peux ajouT 1 truc ? C pas évident d'êt' class en tenue de pom-pom girl (com on l'a vu chez les nouvelles !) OK, C pas leur faute si elles sont menues, mais le look skelett fait pas honneur à C pulls, hein ? Biz @ +
Posté par bravissima le 16/10 à 7 h 32.

Bien vu, com d'hab'. C teeeeeellement dur d'êt' 1 fashion meneuse qd tt l'monde essaie tt le tps de te piker ton style perso. Du coup, t'as l'air hypernul en portant c'que tt le monde porte... mêm si TT la preum's à lanC le truc ! (Mais G tjrs envie d'faire 1 razzia ds ton placard 1 de C 4... MDR !)
Posté par langue_de_VIP le 16/10 à 7 h 35.

Les filles d'à côté

*A*valon ressentit une sorte de brûlure oppressante dans la poitrine. Elle ferma les yeux et tenta de reprendre son souffle. Lorsqu'elle les rouvrit, des petites taches lumineuses flottaient dans son champ de vision. Prise de vertige, elle tendit la main en quête d'appui pour recouvrer l'équilibre. Elle sentit enfin un bras frêle et moite.

– Hé, tu vas bien ? s'enquit celle qui lui portait secours, en l'occurrence Sydney.

– Ouais, ça va aller, répondit Avalon en plissant les paupières dans la légère brume du soir, tandis qu'elle respirait mieux. Je suis juste fatiguée.

– Tu m'étonnes, ricana Sydney. (Avalon distinguait de mieux en mieux son jogging Juicy rose pâle, puis ses yeux violets, et enfin son carré blond.) Halley y va drôlement fort, non ?

– Ouais, à peine ! approuva Avalon en roulant des yeux.

Et ce n'était rien de le dire ! Ça faisait deux heures que l'équipe s'entraînait dans le jardin des Brandon, et Avalon n'avait jamais vu Halley déployer une telle énergie... surtout pour répéter un enchaînement de pom-pom girls. Bizarre. Et le pire, c'était que pom-pom girls et gymnastes avaient toutes l'air de donner le meilleur d'elles-mêmes sous la férule de Halley.

– Hé, Hal ! tu peux nous remontrer comment t'enchaînes les acrobaties au sol ? demanda Tanya avec enthousiasme. Comment t'arrives à avoir autant de hauteur avec les flips arrière ?

– Ouais, Halley est la reine incontestée des flips ! ajouta Miss Piggy en frémissant des narines.

Cette fille devait à tout prix s'inventer une autre expression.

– T'es la meilleure sur ce coup, Halley ! renchérit Andi. Absolument super !

Les boucles brunes d'Andi s'agitaient avec effusion et Avalon imaginait les postillons s'échappant de ses dents de cheval lorsque la fille prononçait : « Absssolument ssssuper ! »

Avalon éprouvait une nette sensation de déjà-vu... comme si elle remontait dans le temps jusqu'à la soirée pyjama qu'elle avait organisée le mois précédent, avant la fusion des deux groupes, lorsque Halley était intervenue au beau milieu de la soirée pour surpasser Avalon devant toute l'équipe avec ses cabrioles. Avalon n'était pas sûre de pouvoir supporter encore longtemps tous ces « Hourrah pour Halley », et n'avait certes pas envie de revivre cet épisode.

Malheureusement, Halley semblait profiter pleinement de son nouveau statut. Pire encore, après une conversation larmoyante avec Avalon, Brianna paraissait avoir admis – pour ne pas dire complètement assimilé – le fait d'être rétrogradée au poste d'adjointe de Halley. Toutes ces filles ne se rendaient donc pas compte qu'Avalon était meilleure que Halley ? Et qu'elle aurait dû être leur capitaine pour les mener à la victoire ?

– OK, OK, dit Halley en jouant les modestes. (Elle s'essuya les mains sur son pantalon de yoga bordeaux, puis fit quelques pas en direction de sa vieille et sinistre cabane de jeux.) Je vais faire une dernière démonstration, les filles, mais après on devrait arrêter pour la soirée. Je pense qu'on maîtrise à fond l'enchaînement.

Avalon et Sydney échangèrent un signe de tête et un soupir agacé, alors que Halley prenait son élan en courant, avant d'exécuter ses flips et saltos arrière comme on le lui avait demandé. Des filles poussèrent des cris quand Halley faillit entrer en collision avec elles. Avalon écarquilla les yeux, l'air horrifié. *Hé ! C'est quoi cette capitaine qui risque de décimer la moitié de son équipe au beau milieu d'une série d'acrobaties ?*

Lorsque Halley se réceptionna au sol sous les cris de joie de ses camarades, Avalon sentit le rouge lui monter aux joues.

– Et voila le travail ! lança Halley, avant d'exécuter une révérence.

Pfft ! Un vrai monstre de foire !

– Bon... vous venez dans la maison, les filles ? s'enquit Halley en rajustant son caraco blanc moulant. Je suis crevée.

– Hé, Hal ? l'interpella Sydney, qui entortillait une de ses mèches dorées autour de l'index en la dévisageant d'un air espiègle.

– Quoi donc ? répliqua Halley en la regardant droit dans les yeux, à l'évidence pour éviter Avalon, qui se trouvait tout près.

Toujours cette attitude de gamine !

– On risque pas de se piétiner un peu, si on dort toutes chez toi ? poursuivit Sydney d'une voix tout sucre tout miel.

Mais Avalon avait comme l'impression que ses intentions étaient bien plus sombres.

– Oh non... on a plein de place, assura la capitaine.

Avalon s'aperçut que la paupière droite de Halley tressautait légèrement... le signe manifeste que sa confiance affichée n'était que du bluff.

– Ouais, mais quand même, insista Sydney. On serait pas plus à l'aise, si la moitié d'entre nous dormait chez Avalon... genre les pom-pom girls d'origine, tu vois ?

Aaaah ! Avalon était ravie de voir Sydney se rallier à sa cause. L'ancienne capitaine adjointe se révélait l'une des meilleures copines qu'elle ait jamais pu espérer avoir. D'ailleurs, celle-ci avait même proposé Avalon comme chef... quitte à mettre en péril son amitié avec Brianna et risquer d'autant plus de perdre sa place de cocapitaine... ce qui s'était passé, en l'occurrence. Si Halley avait remporté l'élection, c'était uniquement parce que les votes des pom-pom girls d'origine s'étaient répartis entre trois des leurs.

– Mais... euh... on est toutes des pom-pom girls à présent, rétorqua Halley en reprenant les paroles prononcées par Brianna quelques semaines plus tôt, quand ses qualités de meneuse étaient pour la première fois remises en question. Je suis la capitaine. C'est moi qui reçois, et tout est prévu pour que vous dormiez dans mon salon.

Waouh ! Encore ce phénomène de déjà-vu. Halley n'avait pas autant gémi depuis le jour où l'on avait servi à Avalon la première part de gâteau d'anniversaire pour

244

les cinq ans de Halley. Elle avait l'habitude d'obtenir tout ce qu'elle voulait. Plus pitoyable encore, Halley pleurnichait pour quelque chose qu'elle ne souhaitait pas vraiment, et méritait encore moins. Avalon savait qu'elle devait intervenir. Il lui suffisait de bien formuler sa phrase. Pas question de passer elle aussi pour une enfant gâtée...

– Ne te sens pas visée, Hal, déclara-t-elle d'une voix posée, en ponctuant ces mots d'un air faussement préoccupé. (C'était la première fois qu'elle s'adressait directement à Halley en une semaine.) Ce serait bien plus confortable pour nous toutes. On a assez de lits et de canapés pour accueillir chacune une dizaine de filles... et on a toutes besoin de bien se reposer pour se donner à fond dimanche.

– Avalon n'a pas tort, acquiesça Brianna avant que Halley puisse réagir.

Coucou, l'amie fidèle numéro 2 ! Peut-être qu'Avalon se trompait sur le fait que Brianna avait accepté sans broncher Halley comme capitaine. Peut-être Brianna croyait-elle simplement agir pour le bien de l'équipe.

– Parfait, concéda Halley. Allez vous reposer et on se retrouve toutes demain matin.

Puis elle tourna les talons dans ses Nike blanches et entraîna les anciennes gymnastes dans sa maison.

Soudain, Avalon se dit qu'elle pourrait s'entraîner deux heures de plus. Elle fit alors passer les pom-pom girls par le portail séparant son arrière-cour de celle de Halley. Au moins, elle avait toujours ses vraies amies – Brianna, Sydney et les autres pom-pom girls – de son côté. Entre elles et l'intérêt que lui portait son pseudo-nouvel amour, Avalon était certaine que le règne de Halley serait d'aussi courte durée que leur pseudo-réconciliation.

Les
Fashion
Blogueuses

TOUJOURS CHIC ET JAMAIS TOC !

Prêt-à-gagner !

Posté par Halley, le dimanche 19 octobre à 8 h 32 du matin

Eh bien ça y est, c'est le grand jour ! Les supporters de la SMS vont participer cet après-midi au Championnat régional intercollèges de pom-pom girls ! Je ne veux pas nous porter la poisse, mais j'espère qu'on va en mettre plein la vue aux autres équipes. Pourquoi on est aussi géniales ? Parce qu'on a déjà des looks de championnes. Dès lors qu'on a décidé de participer, non seulement on s'est entraînées à fond, mais on a enfilé nos nouvelles tenues chic et choc pour montrer à la face du monde notre esprit de compétition. Ce qui m'amène à un point capital : si VOUS souhaitez à tout prix atteindre un but, vous devez ignorer les rabat-joie et tout ce qui mine votre moral pour adopter le look du succès. Voici donc comment foncer, lutter et gagner :

1. Portez ce que vous aimez. Qu'il s'agisse d'un débardeur d'enfer ou de vos bottines préférées, vous devez d'abord les adorer vous-même pour que tout le monde les adore.

2. Investissez. Consacrez un tout petit peu de temps (et d'argent) à ce qui peut booster votre look... même si c'est juste un accessoire. Encore mieux, dénichez une tenue couture vintage dans un troc ou empruntez-la à votre chère maman (si c'est une icône fashion comme la mienne !). Rien de tel qu'un détail chic pour produire un choc !

3. Ne flanchez pas devant l'adversité. Peu importe ce que vous portez, vous aurez toujours l'air d'une championne si vous le sentez au fond de vous. Une fille confiante est une gagnante !

Soyez glamour avec humour.

Halley Brandon

COMMENTAIRES (165)

J'ADORE ! Super, T suggestions. Vs allez gagner la compète, C sûr !
Posté par fashion_viktim le 19/10 à 8 h 39.

G hâte de voir c'ki va se paC au championnat cet aprèm... et pas seulement entre les équipes. J'me suis laiC dire que la vraie bataille aura lieu hors du gymnase entre les 2 anciennes amies du duo HAL-VALON. Ça va chauffer, moajdis !
Posté par radio-potins le 19/10 à 8 h 47.

J'espR sincèrement que vs allez réussir à resT unies pr écraser les autres ékips. Chuis à fond avec vous, les filles !
Posté par bowling_boy le 19/10 à 8 h 44.

Tu resteras tjrs 1 championne pr moa. L'ÉQUIPE HALLEY VA GAGNER ! Yeaaaaah ;-)
Posté par rockgirrl le 19/10 à 8 h 48.

L'épreuve du feu

– **A**ttention ! cria une voix stridente.

Halley s'écarta du passage ; trois filles en pull rouge aux initiales VMS roses déboulèrent dans sa direction en enchaînant une suite de culbutes. Elles venaient de la Valentine Middle School... d'où les couleurs de leur tenue.

– Euh... le tapis de sol, c'est pour les chiens ? rétorqua Halley, avant de les gratifier d'un grand sourire pompom*esque*, en réalisant après coup que sa réaction n'était pas très capitain*esque*.

– Ça va aller, ma chérie... Ça va aller... Maman est là, roucoula une femme, avec la plus imposante choucroute blonde que Halley ait jamais vue, à une fille à la crinière tout aussi crêpée.

Celle-ci gémissait de douleur sur une civière que transportaient deux infirmiers vers le poste de secours installé dans un coin du gymnase.

Le championnat n'avait pas commencé qu'il y avait déjà des blessées ?

Halley sentait qu'elle allait vomir, alors que l'équipe de la SMS n'était même pas passée. Impossible de savoir ce qui lui flanquait la nausée. Hormis cette foultitude de minijupes et de nombrils à l'air, l'environnement n'avait rien d'étranger pour elle. Halley était souvent venue participer à des rencontres de gymnastique dans la grande salle polyvalente du Mesa College. Elle connaissait par cœur l'odeur d'eau de Javel qui s'échappait du parquet clair jonché d'éraflures, les sièges pliants en plastique jaune qui grinçaient chaque fois que quelqu'un se déplaçait au mauvais moment dans les tribunes. Elle avait exécuté des tas d'enchaînements sur ces tapis de sol vert sapin, et pas une fois ne s'était inquiétée pour sa prestation. Alors, pourquoi cette compétition en particulier lui nouait-elle l'estomac ?

Tandis que les membres de l'équipe de la Torrey Pines Middle School entraient en piste, avec leurs mini-débardeurs à rayures tigre et leurs jupes assorties en lamé orange et noir, Halley sentit une nouvelle nausée l'envahir. Elle ne savait pas trop si c'était parce que les filles exécutaient leur enchaînement sur l'immonde chanson des Pussycat Dolls, *When I Grow Up*, ou bien à cause de leurs tenues pétass*ablement* atroces, ou parce que la SMS passerait ensuite.

Halley jeta un regard sur les tribunes, en quête d'un visage amical. Sofee était assise au tout dernier rang. Elle écarquilla les yeux avec un enthousiasme teinté d'ironie et agita un fanion *ALLEZ LES LIONS !* quand elle croisa son regard. Halley lui sourit à belles dents. S'il existait une personne capable de l'aider à ne pas prendre tout ça au sérieux, c'était bel et bien Sofee.

Halley se retourna vers son équipe. Kimberleigh se déhanchait sur la musique des Pussycat Dolls. Quand elle vit que Halley l'observait, elle s'arrêta net et frémit des narines d'un air surexcité... pour changer. Pas franchement l'image dont Halley avait besoin à ce moment-là. Un coup d'œil furtif du côté d'Avalon et de Sydney – lesquelles ajustaient mutuellement leurs queues-de-cheval – la rendit envieuse. Si seulement Halley pouvait solliciter l'aide de son ex-meilleure amie... Avalon aurait à coup sûr un plan d'enfer pour gérer le stress de la capitaine. Évidemment, cela aurait sans doute impliqué quelques magouilles... saboter les tenues des autres équipes, par exemple.

Halley sentit son nœud à l'estomac s'intensifier. De nouveau, elle scruta les tribunes. Par le plus grand des hasards, Wade risquait-il de faire son apparition ? Auquel cas Halley pourrait-elle lui parler en présence de Sofee ? Pourraient-ils discuter tous les trois et trouver un moyen d'éviter de faire de la peine à l'un ou à l'autre ? Halley ne pouvait s'empêcher de penser que Wade et elle finiraient ensemble, quoi qu'il arrive.

Elle aperçut alors Tyler qui s'installait dans un fauteuil jaune, à côté de leurs parents. En regardant son père et sa mère, si parfaitement assortis, telles deux âmes sœurs, Halley comprit que ce n'était pas du tout le concours qui lui donnait la nausée. Elle se languissait d'amour ! Peu importait qu'elle soit capitaine des pom-pom girls. Peu importait qu'elle mène ou non l'équipe à la victoire. Tout cela ne signifiait rien si elle n'avait pas Wade auprès d'elle. Alors elle devait trouver un moyen de remédier au problème. Pour commencer, il lui suffisait de moins dramatiser les situations... avec Wade *et* avec Sofee, tout comme Tyler l'avait suggéré. Ouf ! Halley savait enfin comment agir.

– Euh... je reviens ! lança-t-elle à la cantonade, avant de franchir une double porte métallique pour filer aux vestiaires.

Là, elle farfouilla dans son sac de sport, avant de mettre la main sur son mobile et, d'un doigt tremblant, composa le numéro de Wade.

« Salut ! (Bon sang, ce que cette voix lui avait manqué !) C'est Wade. Vous savez quoi faire. Alors faites-le. »

BI-I-I-P !

Halley hésita un instant, prête à raccrocher, vaincue. Mais elle ne pouvait pas renoncer si facilement. Elle devait se battre pour obtenir ce qu'elle voulait.

– Salut, Wade... c'est moi. (Elle sourit, en se disant que sa voix semblait plus assurée que prévu.) Écoute, je suis désolée de m'être comportée bizarrement pour des tas de trucs. Mais tu veux bien venir au championnat ? Sofee est là et j'ai vraiment besoin de ton soutien aussi. Enfin... j'ai envie que tu sois là. Euh... pas seulement là... J'ai envie de toi... tout court.

Oh là là ! Qu'est-ce qui m'a pris de dire un truc pareil ?

Halley coupa son mobile, le fourra dans son sac, puis revint au gymnase, où les Pussycat Dolls se déchaînaient toujours (même si les Tigresses de la TPMS ne faisaient pas des étincelles). Halley poussa un soupir pour se calmer, puis inspira profondément pour savourer sa victoire. Elle avait enfin déclaré à Wade qu'elle était prête à se montrer avec lui en public, peu importaient les gens qui les verraient... même Sofee. Et ça méritait bien un enchaînement d'enfer, non ?

L'amertume de la victoire

Avalon essaya de ne pas remuer du popotin pendant le passage de la Torrey Pines Middle School, mais elle ne put résister. Les filles étaient douées. Très douées, même. Pourquoi la SMS n'avait-elle pas choisi ce genre de figures, et pourquoi avoir opté pour Madonna ? Même en duo avec Justin Timberlake, Madonna était... vieille.

Pourquoi ? Parce que Halley était la capitaine et ne prêtait pas attention à ce genre de détails qui faisaient toute la différence ! Bien sûr, les tenues de la TPMS – si toutefois on pouvait appeler ça des tenues –, c'était une autre histoire.

Coucou, les pétasses à rayures ! C'est pas parce vous dansez sur les Pussycat Dolls qu'il faut vous habiller comme elles. Beurk...

Comme elle focalisait toute son énergie sur les tenues atroces, Avalon tenta de se convaincre que les Lionnes allaient ne faire qu'une bouchée de ces Tigresses. Soudain, l'une d'entre elles tomba net sur ses fesses rayées orange et noir, et toutes les frayeurs d'Avalon s'envolèrent en fumée. La SMS allait gagner à coup sûr ! Ensuite, cap sur San Francisco et le championnat d'État (et un shopping d'enfer !), nouvelle victoire, et puis le concours national. Elles passeraient à la postérité – faisant sans doute l'objet d'un article sur Wikipedia – comme la meilleure équipe d'Amérique !

À présent l'esprit fantasque d'Avalon carburait à plein régime : peut-être que la SMS aurait droit à un dossier complet dans la revue spécialisée *American Cheerleader* ! Peut-être même que les filles feraient la une du magazine *People* : *Les 20 filles de moins de 20 ans les plus sexy...* avec une petite bio sur chaque membre de l'équipe ! Bien sûr, se dit-elle en se renfrognant, Halley serait en couverture puisqu'elle était la capitaine, et Avalon resterait dans l'ombre, telle une pitoyable inconnue.

Avalon se tourna vers l'équipe, dans l'espoir de croiser un regard rassurant qui l'aiderait à se remettre les idées en place. Elle se demanda même si un bref échange de regards avec Halley, dans cette salle omnisports où elles avaient gagné tant de championnats de gym ensemble, pourrait l'aider à recouvrer confiance en elle. Mais Halley restait invisible.

Et c'était comme ça qu'elle comptait mener l'équipe à la victoire ? La capitaine n'assistait même pas aux prestations de leurs rivales ? Avalon ferma les yeux et secoua la tête. Oh, ça ne l'étonnait pas outre mesure, c'était typique de Halley ! Elle esquivait les problèmes, n'était pas organisée pour deux sous, négligeait les détails importants... même si elle écrivait le contraire dans son dernier post, plus que lamentable, sur leur blog. Bref, elle ne méritait vraiment pas son statut de capitaine.

Juste à ce moment, Halley revint honorer l'équipe de sa présence. Avec ce regard plein d'arrogance qu'elle n'avait pas quitté de la semaine.

Comme c'est gentil de te joindre à nous, ô capitaine adulée !

Le mauvais esprit d'Avalon la fit grimacer. Elle devait se débarrasser de cette attitude. Leur équipe allait bientôt passer et elle devait briller sur la piste. Pas pour Halley, mais pour Brianna, Sydney, et toutes les autres... sans oublier elle-même.

Tandis que les applaudissements se dissipaient après la prestation de la TPMS et que les filles quittaient les tapis de sol à petites foulées, la voix du présentateur tonna dans les haut-parleurs :

– Et à présent, veuillez accueillir la dernière équipe du jour : les supportrices des Lions de la Seaview Middle School !

Le public se déchaîna. On aurait dit que tous les spectateurs s'étaient levés comme un seul homme pour battre des mains, hurler et agiter des fanions. Agrippant ses pompons, Avalon se précipita au centre du gymnase avec le reste de l'équipe. Mais dès qu'elle se mit en position, elle baissa la tête, tandis que les battements de son cœur s'accéléraient.

Elle battit des paupières et attendit les premières notes du morceau. Le rythme l'aidait toujours à démarrer. La foule se calma enfin. Mais dès que *4 Minutes* commença à faire vibrer les murs du gymnase, tout le monde se leva d'un bond. Aussitôt Avalon sentit la musique lui donner l'énergie nécessaire pour attaquer l'enchaînement. Elle n'avait jamais exécuté ses figures avec une telle précision, dansé avec une telle grâce, ni crié avec une telle sensualité dans la voix. Elle avait l'impression que tous les yeux étaient braqués sur elle. C'était la fille la plus sexy du groupe, celle à ne pas rater.

Avalon lâcha ses pompons et prit ses marques pour les acrobaties au sol, tandis que passait chacune de ses camarades. Son tour arriva enfin. Elle inspira profondément et frissonna de plaisir, tandis qu'elle s'élançait pour un double flip arrière. Poussée par l'adrénaline, elle improvisa une variante à la dernière seconde avec demi-vrille et salto arrière groupé. Réception parfaite. La foule en délire ! Avalon était la star de l'équipe !

Comme les filles se positionnaient pour le grand final, Avalon exécuta son porté en contenant à peine son euphorie. En quelques secondes la pyramide s'immobilisa, tandis qu'elles hurlaient : « Allez, les Lions ! » plus fort que jamais. La musique s'arrêta. Dans le bref silence qui suivit, Avalon se demanda si un incident horrible s'était produit... Là-haut, Sydney avait basculé pour se retrouver la tête en bas ou quoi ? Mais des cris de joie et des applaudissements parcoururent le public. Une ovation sans précédent pour l'équipe de la SMS ! Un triomphe pour Avalon !

– Vous avez réussi ! s'écria le coach Carlson, debout dans un coin du gymnase, en accueillant à bras ouverts les filles qui trottinaient vers elle.

– Vous avez été phénoménales ! renchérit le coach Howe, en entourant de ses bras menus mais musclés Halley et Brianna.

Avalon manqua s'évanouir. N'avaient-elles pas été toutes phénoménales ? Pourquoi la coach de gym portait-elle toute son attention sur Halley et Brianna... surtout sur Halley ? Avalon eut de nouveau l'impression d'être invisible. Elle essaya de se raisonner pour ne pas se laisser gagner par la jalousie. Elle souhaitait rester positive pendant l'attente des résultats. C'était ce qui comptait le plus, non ? La victoire ?

Après de longues minutes qui parurent durer des heures, les juges s'installèrent une table pliante au milieu du gymnase, sur laquelle on posa deux petites coupes de part et d'autre d'un trophée géant. Avalon remarqua à peine les deux petites coupes. Son équipe avait fait un malheur. Les autres ne leur arrivaient pas à la cheville. Comment pouvait-il en être autrement ?

Avalon se tenait debout, encadrée par Brianna et Sydney. Elle sentait ses deux plus proches amies trembler avec elle. Elle lança un coup d'œil en direction de Halley, laquelle agrippait les mains de Miss Piggy et de Liza.

Tu parles d'une capitaine ! pensa Avalon, tandis que l'équipe de Torrey Pines remportait le second trophée. Même si l'équipe de la SMS avait l'air uni, elle était en réalité plus divisée que jamais, les pom-pom girls s'étant regroupées à l'écart des gymnastes.

– Et les gagnantes du championnat régional sont... les supporters des Lions de la Seaview Middle School !

Elle en était sûre ! Avalon serra fort Brianna et Sydney dans ses bras. Puis les filles se dirigèrent toutes vers les juges. Aux rencontres de gymnastique, l'équipe entière avait l'habitude de brandir le trophée, si bien qu'Avalon tendit la main vers la coupe doré et bleu métallisé. Halley l'écarta d'une pichenette et souleva le trophée d'un côté, en laissant Brianna porter l'autre, avant de le hisser au-dessus de leur tête. Avalon recula, horrifiée et humiliée.

Malgré les acclamations qui emplissaient le gymnase, Avalon se sentait vaincue. Elle avait perdu. Elle n'attirait plus les regards du public. En réalité, personne ne devait même la voir. Elle battit vivement des paupières pour retenir ses larmes et se tourna vers Halley... la faux-jetonne, qui semblait si satisfaite d'elle-même que ça en devenait ridicule. Comme si tout ça n'aurait pas pu s'accomplir sans Avalon ! Quelqu'un devait faire ravaler son arrogance à cette pimbêche !

Tandis qu'elle passait un bras autour de Sydney et l'autre autour d'Andi puis regardait du côté des tribunes, Avalon réalisa que l'épreuve ne serait pas pénible, en définitive.

L'angoisse de l'échec

*H*alley flottait sur un petit nuage. Adieu la nausée ! Bonjour l'euphorie ! Ses parents avaient convié toute l'équipe à une soirée barbecue et son estomac grondait déjà à l'idée de savourer les succulents hamburgers de dinde bio préparés par son père. Bref, elle était prête à fêter la victoire ! Grâce à elle, l'équipe avait remporté le championnat ! Elle avait donc hâte de partager la nouvelle avec Wade et d'accomplir sa prochaine mission : former avec lui le couple le plus adorable du collège. Peut-être même qu'elle l'inviterait au barbecue.

Tandis qu'elle descendait les marches en béton du gymnase avec ses parents, Tyler et quelques-unes de ses camarades de l'équipe, Halley scrutait la foule, en quête de Sofee. L'endroit grouillait de monde, des gens qui se félicitaient les uns les autres, d'autres qui consolaient les équipes perdantes. Ce fut alors qu'elle l'aperçut, là-bas debout au milieu de la pelouse, près d'une imposante statue de basket-ball, le soleil miroitant sur son visage parfait : Wade !

– Houlà ! s'écria Halley, qui lâcha son sac de sport pour accélérer le pas en se dirigeant vers lui.

Elle ne pouvait espérer meilleure conclusion à cette journée. Il était venu la voir. Pour fêter la victoire avec elle !

Le visage de Wade s'éclaircit et un halo de lumière parut cerner ses cheveux de jais en bataille, tandis qu'il regardait en direction de Halley. C'était comme au cinéma, dans ces scènes d'amour au ralenti où tout devient flou à mesure que l'héroïne et le héros s'approchent l'un de l'autre. Puis, au moment où l'image allait se remettre à défiler à la vitesse normale, tout se figea d'un seul coup. Quelqu'un bouscula Halley pour se jeter dans les bras de Wade.

Avalon ?

Halley resta pétrifiée en contemplant Wade qui étreignait la fille qu'elle appelait naguère sa meilleure amie. Il souleva Avalon et l'embrassa avec insouciance. OK, c'était sur la joue, mais le bisou avait l'air plus fougueux que celui de Wade à Halley après leur dîner en tête à tête. Elle mourait d'envie de détourner les yeux, mais c'était comme de regarder une femme qui aurait confondu collants et leggings, pour se retrouver quasiment les fesses à l'air en public. Elle était fascinée, pour ne pas dire écœurée par cette vision d'horreur...

Les roucoulades et les embrassades lui semblèrent se prolonger des heures... et le supplice de Halley durer à l'infini. Ils se séparèrent enfin et Wade prit Avalon par le cou. Ils s'en allèrent et traversèrent la pelouse sans se retourner, comme si Halley n'avait pas assisté à toute la scène.

Elle éprouva une douleur cuisante dans la poitrine. Est-ce qu'elle s'était froissé un muscle ? À moins qu'il ne s'agisse d'une espèce de douleur fantôme, comme celle d'un couteau imaginaire qu'on ne cessait de lui planter dans le dos ? Le chagrin la défigurait. Des larmes silencieuses coulèrent sur son visage, tandis qu'un froid polaire l'envahissait. Elle se sentait mortifiée, anéantie... et proche de l'évanouissement.

– Hé ! Qu'est-ce qui se passe ? s'enquit Kimberleigh en déboulant dans son dos.

Un voile noir recouvrit ses yeux.

– Halley ? Halley... Halley !

Elle voulait ouvrir les paupières, mais son cœur battait la chamade et la lumière au-dessus d'elle l'aveuglait. Elle sentait des espèces de bris de verre lui picoter les bras et les jambes, tandis qu'elle gisait là étendue à terre, comme paralysée. Où était-elle ? Comment était-elle arrivée là ? Et qui hurlait sans cesse son nom ?

Ses paupières finirent par se lever lentement. Elle découvrit alors celle qui se tenait penchée au-dessus d'elle : Avalon, les yeux exorbités, sincèrement inquiète. Halley reconnut d'autres visages, mais son regard se braqua aussitôt sur un seul : Wade.

Halley tenta de redresser la tête et de la secouer, tandis que le souvenir des tout derniers événements lui revenait à l'esprit. Elle puisa au plus profond d'elle-même l'énergie qui lui restait, serra les poings, tendit la main, puis écarta Avalon de son champ de vision. Elle se releva ensuite, un peu tremblante, puis recouvra un semblant d'équilibre.

– Ça va ? demanda Sofee, qui arrivait en courant et lui prit la main. (Elle avait l'air coupable... comme si elle avait mal agi.) Désolée. J'étais au téléphone quand t'es tombée. Je suis venue le plus vite possible.

– Dis, ma puce... Tu n'as rien de cassé, au moins ? intervint Abigail Brandon, le visage soucieux, en lui prenant l'autre main.

– Tu peux marcher ? s'enquit Charles en posant la sienne, paternelle et robuste, sur l'épaule de sa fille.

– Ouais... enfin, je crois. Tout va bien, acquiesça Halley en souriant à Sofee, ses parents, Tyler, Kimberleigh... tous ceux qui tenaient à elle, qui l'aimaient vraiment. En fait, je vais super bien, même.

– Bien joué, lui glissa Sofee à l'oreille en lui pressant affectueusement la main.

Halley sourit à nouveau, pleine d'assurance, et traversa la pelouse entourée d'une foule de supporters. À mesure qu'elle avançait, elle se sentait de plus en plus forte. Et lorsqu'elle se retourna une dernière fois vers Avalon et Wade, Halley avait toutes les raisons de croire que la situation finirait par jouer en sa faveur. Elle venait de prouver qu'elle était une championne, non ? Et si les vainqueurs savent une chose, c'est qu'il ne faut jamais renoncer à ce qu'on souhaite du fond du cœur. Pas sans se battre, en tout cas.

Remerciements

Depuis que je me suis mise à écrire cette série, j'ai appris des tas de choses sur l'amitié... et ce que signifie réellement un sentiment aussi fou. Pour moi, il englobe l'affection, le soutien, et une bonne dose d'honnêteté, où le courage se mêle à la tolérance. Je dois donc d'abord exprimer ma gratitude la plus sincère aux lectrices et aux critiques : votre passion pour les livres permet à des auteurs comme moi de faire ce qu'ils adorent. Je ne saurais trop remercier aussi toutes les nanas sympas d'Alloy Entertainment (tu fais partie du lot, Josh) et de Harper Teen, ainsi que Jodi Reamer ; je ne pouvais espérer meilleures supporters que vous toutes pour me remettre à l'occasion les pieds sur terre.

Il y a ensuite toutes ces personnes incroyables que j'ai la chance de compter parmi mes amis... certaines depuis des lustres. Comme je suis en fait quelqu'un d'incroyablement populaire (ou du moins l'ai-je été par moments), la liste qui suit n'est donc pas exhaustive* : Kristen Anderson, Sena Baligh, Jennifer Banash, Carolyn Brann, Katie Cartwright, Tera Lynn Childs, Wendy Converse, Nancy Gottesman, Bethany Gumper et toutes les anciennes *Shape*sters, Julie Jacobs, Lisa Jenkins, Brynja Kohler, Stephenie Kuehnert, Karen Lamberton, Bobby Lavelle, Carolyn Mackler, Annissa Mason, Alison Meyerson, Keri Mikulski, Taylor Morris et toute l'équipe de ce bon vieux *Jump*, Darren Murtari, Melissa O'Brien, Irene O'Connell, Sura Radcliffe, Emily Renninger, Erika Schultz, Michele Simon, Rebecca Slavin, Nicole Tocatins et tous les *Hits* losers, Julie Wagner, Melissa Walker, les West Valley Moms et les West Valley Players (oui, Sheri Kirby, toi en particulier), Kerri Wolff, Rebecca Woolf et, enfin, Lindsay Zimmermann (tu es peut-être la dernière de la liste, mais tu as été ma première grande amie !).

Ouf ! Et je n'oublie pas, bien sûr, ma famille* pour son enthousiasme et ses encouragements constants, et tous les liens formidables qui nous unissent. Merci à vous tous, papa et maman, Jon et Maggie, Zach et Nate, Chris et Raroo, Dene et Rich, Ken et Marge, et – la prunelle de mes yeux, ceux qui transforment chaque jour de mon existence en une aventure (en général fabuleuse) – Joel, Jack, et Sydney (les chiens comptent autant que les humains).

Biz@vous tous !

* *Pour envoyer des lettres d'injures et/ou faire partie de la liste des gens que je remercie dans le tome 3, prière de me contacter* via *mon site web :*
www.alexayoung.com ;-)

Sacrifierais-tu ta meilleure copine pour ton petit ami ?

Tu apprends que ta meilleure copine et ton petit ami étaient à la même soirée samedi dernier, mais toi tu n'y étais pas :

☒ a) Le monde est petit ! C'est sûrement un hasard.

☐ c) Ils ont tout manigancé derrière ton dos, c'est sûr... Tu fais une grosse crise de jalousie à ton mec et tu le quittes.

☐ b) Ça va pas se passer comme ça ! Tu cours inviter le copain de ta meilleure amie pour un cinéma en tête à tête.

Ta meilleure amie t'appelle en pleurs : elle ne va vraiment pas bien et a besoin de te voir tout de suite. Le jour même où ton copain rentre de vacances...

☐ c) Hors de question. Tu inventes un faux prétexte pour ton amie et tu files voir ton *boyfriend*.

☒ a) Pas de chance, mais l'amitié avant tout !

☐ b) Une dispute éclate : elle ne veut pas comprendre que tu n'as pas vu ton copain depuis une semaine et que tu ne peux pas attendre plus longtemps.

Ta meilleure amie t'offre un pendentif en gage de votre amitié éternelle. Mais tu as déjà un cœur en or autour du cou, celui que t'a offert ton copain :

☒ c) Tu l'accroches à ton téléphone mobile : la place autour de ton cou est déjà prise.

☐ b) Tu décides de mettre le pendentif de chacun un jour sur deux : comme ça, pas de jaloux.

❏ a) Tu retires le cœur : le cadeau de ta meilleure amie n'est pas en or mais il a beaucoup plus de valeur.

Dans une soirée entre copains, vous jouez au jeu de la bouteille. Ta meilleure amie la fait tourner, et la bouteille pointe... vers ton copain :
    ❏ c) Tu lui jettes un regard noir : si tu t'approches de lui, je sors mes griffes !
    ❏ a) Ce n'est qu'un jeu, tu n'es pas jalouse car ça ne veut rien dire ni pour lui ni pour elle.
    ☒ b) Tu serres les dents et tournes la tête au moment de leur baiser.

Un avion en papier atterrit sur la prof de math. C'est ton copain qui l'a lancé... Elle se retourne, et accuse ta meilleure amie :
    ❏ b) Tu te tais, et lui cours après à la fin du cours : il faut qu'elle comprenne que le choix était trop dur, tu as préféré ne rien dire !
    ☒ c) Tu sais qu'il a déjà eu un avertissement la semaine dernière. Ta meilleure amie peut bien récolter une petite sanction à sa place pour lui éviter d'être renvoyé...
    ❏ a) Tu prends sa défense, même si tu sais qu'il va se fâcher contre toi. Solidarité féminine avant tout !

Il en préfère une autre, et tu découvres que c'est... ta meilleure amie :
    ❏ c) C'est impardonnable. Comme Blair et Serena dans *Gossip Girls*, c'est le clash total. Tu ne lui parles plus et concoctes une vengeance dont elle ne sortira pas indemne.
    ❏ b) Tu restes digne. Comme Miley Cyrus avec Selena Gomez, tu reprends ton chemin de ton côté. Mais dès que tu as l'occasion de lui faire un sale coup, tu ne t'en prives pas.
    ❏ a) Tu choisis de te préserver. Comme Brooke et Peyton dans *Les Frères Scott*, tu prends tes distances plutôt que de perdre la face.

— Réponses —

Compte le nombre de a, b ou c que tu as cochés
et découvre ce qui compte avant tout pour toi !

Tu as un max de a) : *L'amie fidèle*
Avoir un *boyfriend* qui nous aime et qu'on aime, c'est que du bonheur. Mais pour toi, deux poids deux mesures : l'amitié, c'est sacré. Tu as compris que les garçons passent, mais que l'amitié est une chose éternelle. Alors pas question de gâcher ça.
Gare au mec qui te demandera un jour de sacrifier tes amies pour lui. Mais fais attention tout de même à ne pas le délaisser. Les amis, c'est très important, mais pas à n'importe quel prix. Si un jour ta meilleure amie n'est pas là pour toi, tu risques d'être très déçue.

Tu as un max de b) : *La confuse*
Avec toi, c'est pile ou face. Si ton copain t'embête, tu le laisses de côté et tu iras voir ta meilleure amie. Mais si celle-ci a besoin de toi, elle n'est pas sûre de pouvoir compter sur ton soutien.
Ta philosophie, c'est *carpe diem*. Alors continue à agir selon ton instinct. Mais un petit conseil : ne regarde pas toujours ton propre intérêt. Les gens qui t'entourent et qui t'aiment pourraient s'en lasser, et tu pourrais bien te retrouver seule...

Tu as un max de c) : *L'amoureuse*
Tu es une grande romantique. À chaque nouveau petit copain, tu penses avoir trouvé l'homme de ta vie. Tu fais alors tout passer après lui, car pour toi, l'amour, il n'y a que ça de vrai.
Essaye quand même de ne pas trop laisser tes amies de côté. Car les garçons, il y en a plein, mais les vrais amies sur qui l'on peut compter, c'est plus dur à trouver. Et le jour où tu auras besoin de réconfort et de bons conseils, tu n'auras plus qu'à reprendre ta plume et te confier à ton journal intime !

Composition PCA
44400 – Rezé

Impression réalisée sur Variquik par
CORLET
14110 Condé-sur-Noireau
pour le compte des Éditions Michel Lafon

Imprimé en France
N° d'impression : 121349
Dépôt légal : juin 2009
ISBN 13 : 978-2-7499-1039-0
LAF 1084 B